또 하나의 생활문화 지도 **땅이름**

우리말글문화
총서 02

또 하나의 생활문화 지도

땅이름

배우리 지음

마리북스

땅이름은 그 '옛날'이
묻혀 있는 우리말의 화석

우리 조상들은 우리에게 소중한 문화유산을 남겨 주었다. 그
중에서 '땅이름'이라는 유산은 더없이 소중하다.

배달 겨레에게 진작부터 제 고유의 말씨가 있었은즉 사람의
이름은 물론이요 그 사는 나라 이름으로부터 다른 모든 이름에 이
르기까지 다 그 고유의 말씨가 있었다. …… 이즈음에 살고 있는 우
리는 앞으론 조상에게 죄를 짓지 말고 뒤론 자손에게 부끄러움을
면키 위하여, 노인들의 입에만 남아 있는 삼천리 방방곡곡의 땅이
름을 모아 캐어 두지 않으면 안 된다.

한글학자 최현배 선생이 한글학회에서 발행한 《한국지명총
람》의 책 머리에 쓴 글이다. 선생은 자기 말살의 한화주의 말글살

○ ∧ □

이가 극심한 가운데서도 오히려 제 본래의 모습을 지녀 온 것은 땅이름이라고 했다. 군현과 같은 행정 단위는 많다고 할 수 없다. 그래도 그 아랫길의 동네, 마을, 뜸, 산, 내 같은 이름은 시골 벽촌, 서울 등의 문화 중심지에도 옛날 모습 그대로 지니고 있는 것이 많다. 그러니 선생은 보존할 필요성이 있음을 강하게 역설했다. 특히 작은 땅이름은 그 고장 사람들의 일상생활과 밀접하게 관련되어 있다. 그렇기에 이를 보전해서 서민 대중의 말씨 의식까지 바꾸어야 한다고 했다.

그렇다. 땅이름은 더없이 소중하다. 여기에는 우리의 옛말과 조상들의 훈훈한 얼이 배어 있다. 이를 캐내면 우리의 옛말은 물론 조상들의 생각을 접할 수 있다. 그래서 땅이름은 그 '옛날'이 묻혀 있는 '우리말의 화석'이다.

필자가 우리말 땅이름 연구에 빠지게 된 계기가 있다. 20대 후반에 《주간소년》이라는 아동 신문사의 편집장으로 근무할 때였다. 신문에 '사라져 가는 우리말'을 연재했는데, 한 방송국의 요청으로 같은 내용의 방송을 하게 되었다. 방송 관계자는 우리말의 범위가 너무 넓으니 '이름' 중심으로 방송을 하자고 했다. 방송을 거듭하다 보니 이름으로 뽑을 수 있는 이야기는 한계가 있었다. 사람 이름, 식물 이름, 음식 이름 등이 고작이었다.

그때 생각한 것이 땅이름이었다. 마을 이름, 산 이름, 하천 이름, 골짜기 이름, 길 이름 등이었다. 이렇게 눈을 돌리고 보니 이름에 관한 이야깃거리가 매우 많았다.

그런데 땅이름은 답사를 하지 않을 수가 없었다. 그때그때 방송 자료를 준비하느라 부지런히 발품을 팔아야 했다. 그렇게 험한 곳 가리지 않고 다니다 보니 행색이 말이 아니었다. 한번은 간첩으로 오인받아 경찰서에 불려 가고 카메라를 빼앗기기도 했다. 이렇게 갖은 고생 끝에 땅이름 지식은 차곡차곡 쌓여 갔다.

그러자 이제는 땅이름 방송은 물론 기고와 강의도 하게 되고, 뜻있는 이들과 함께 '한국땅이름학회'를 만들었다. 한편으로는 강연회, 학술회의 등을 열고 개인적으로는 기고와 저술 활동을 하며 땅이름에 대한 사회적은 관심을 불러일으켰다.

1990년대 후반에는 연세대 사회교육원에 '땅이름 연구반'을 만들어 주임교수로 있으면서 제자들을 양성했다. 7년에 걸친 강의, 700여 명의 제자들을 길러낼 수 있었다. 지금 생각해도 내 인생의 가장 큰 보람이었다. 국가지명위원에 임명되어 18년간 우리나라의 모든 지명을 심의하면서 이 땅에 '우리식' 지명을 정착시켰는데 이 또한 보람이었다. 국가 시설물 이름 짓기 위원장이 되어 위례신도시, 미사대교, 빛가람시 등의 이름을 짓거나 결정케 한 것 역시 잊지 못할 일이었다.

땅이름과 우리말의 관계를 풀어내는 작업은 그리 쉽지 않은 일이다. 내 모든 지혜를 다해 40여 년 동안 노력에 노력을 거듭했다. 그 결과물의 하나로 이 책을 세상에 내놓는다. 이 작은 열매가 우리 땅이름의 가치를 높여 주고, 그 참뜻을 이해하는 새로운 계기가 되었으면 한다.

'나무가 자라는 것은 하늘이 하는 일이요, 그 나무를 가꾸는 것은 사람이 하는 일'이다. 한힌샘 주시경 선생이 하신 말이다. 우리의 토박이 땅이름은 조상들의 노력을 빌려 자라 온 하늘의 '나무'이다. 독자 여러분이 우리말 땅이름이라는 나무를 가꾸는 한 사람이 되길 빌어 본다.

2022년 겨울의 문턱에서

배우리

차례

첫째마당

가재울과 미르 사이

둘째마당

돌모루와 치악산 사이

셋째마당
곰달내와 아우라지 사이

첫째마당

가재울과 미르 사이

가재울, 벌의 가장자리

_ 경기도 안성시 보개면 가율리 가재울
_ 서울시 서대문구 가좌동 가재울

#가장자리 #가새 #가쟁이

가율리加栗里. 경기도 안성시 보개면 가율리에 있는 '가재울' 마을 앞에 있는 표석이다. 언젠가 버스를 타고 지나다 마을 입구에 내려 표석을 보았다. 이 마을에는 어떤 이야기가 담겨 있을까? 동네 사람들에게 이 근처 마을들에 관해서 물었다.

가율리는 가재울, 밤골, 분토(분톳골)의 세 마을로 이루어져 있는데, 그중에 40여 가구가 사는 가재울이 가장 크다고 했다. 가율리는 본래 경기도 안성군 율동면의 마을이었으나, 일제강점기인 1914년에 행정구역이 통폐합되면서 여러 동네가 합쳐진 마을이다.

‘가율리’라는 이름은 가좌동(가재울)과 율동(밤골)을 병합하고 ‘가좌’
와 ‘율동’의 이름을 각각 따와서 지은 것이다.

　　가재울이라고 불리는 이유가 있을 것이라는 생각이 들었다.
한 노인에게 이 마을에 가재가 많이 사냐고 물었다. “허 참, 가재
가 눈이 멀기라도 했나요?” 마을 앞의 작은 내를 찾아보니 가재가
살 것 같지는 않았다. 다른 쪽 개울을 찾아가 한 마을 노인에게 물
었다. 마을 노인은 ‘참 엉뚱한 질문을 하는구나’ 하는 말투로 대답
했다. “가재요? 뭔 가재가 눈이 멀었다고 이런 개흙바닥에서 산대
요?”

❯ 경기도 안성시 보개면 가율리에 있는 ‘가재울’ 마을.

돌이 많다고 돌골, 뱀이 많다고 뱀골, 가재가 많다고 가재울?

　땅이름에는 무엇이 많다고 해서 '~골', '~울', '~말' 등이 붙은 것이 많다. 돌이 많다고 돌골, 모래가 많다고 모랫골, 갈나무가 많다고 갈골, 밤나무가 많다고 밤골, 뱀이 많다고 뱀골……

　그러나 그와는 전혀 관계없는 곳도 무척 많다. '가잿골', '가재울'과 같이 '가재'가 들어간 땅이름도 그 한 예이다. 대충 훑어보아도 한 시군에 보통 10개 이상의 가재울, 가잿골이 있는 듯하다. 행정지명에 '가재'라는 이름이 붙은 곳으로는 경기도 화성시 팔탄면 가재리佳才里, 용인시 처인구 원삼면 가재월리加在月里, 인천시 서구 가좌동佳佐洞 등이 있다. 실제로 답사해 보면 이곳들은 가재가 많아서 이름에 가재가 들어간 게 아님을 확연히 알 수 있다.

　가재는 주로 깨끗한 계곡이나 냇물의 돌 밑에 산다. 어렸을 때 냇물 속 돌을 들춰 가며 가재를 잡던 생각이 난다. 가재는 아무 데서나 살지 않는다. 대개는 물이 그리 많지 않은 작은 골짜기 내(하천)의 밑바닥 돌 틈에 숨어 산다. 그렇기에 가재를 잡으려면 돌이 많은 좁은 냇가로 가지, 모래나 개흙이 깔린 넓은 시내로 가지 않는다.

　'가잿골'이라는 마을 이름이 가재가 많아 붙은 것이라면, 이런 마을은 산골짜기 돌이 많은 냇가에 있어야 옳다. 그런데 가잿골이라고 불리는 마을들의 위치를 살펴보면 그런 냇가에는 별로 없다.

가재는 속담에서도 많이 등장한다. '가재는 게 편이다'라는 속 담이 대표적이다. 이 속담은 가재는 비슷한 종인 게의 편을 든다는 뜻으로, 비슷한 사람끼리 서로 편을 들 때 쓰는 말이다. 서로 형편 이 비슷하거나 인연 있는 사람끼리 잘 어울리고, 사정을 봐주거나 감싸 준다는 뜻으로도 많이 사용된다. 학연, 지연, 혈연으로 얽혀 있을 때도 이 속담을 쓴다. 이와 비슷한 뜻의 사자성어로는 '유유상 종類類相從'이 있다.

'도랑 치고 가재 잡고'라는 속담도 있다. 이 속담은 '꿩 먹고 알 먹고', '마당 쓸고 동전 줍고', '임도 보고 뽕도 따고', '누이 좋고 매부 좋고'라는 속담과도 거의 비슷하게 쓰인다. 이와 뜻이 통하는 사자 성어로는 '일거양득'이 있다. 이처럼 속담에 등장하는 '가재'가 땅이 름에 많이 들어가 있다는 것은 정말 희한한 일이다. 왜 유독 땅이름 에 가재가 많은 걸까?

벌 가장자리에 있어서 '가재울'

가재울 공원, 가재울 성당, 가재울 교회, 가재울 아파트, 가재 울 찻집, 가재울 미용실……. 서울시 서대문구 남가좌동이나 북가좌 동에 가면 이런 이름들을 쉽게 볼 수 있다. 동네가 온통 가재 천지 인 것 같다. 그런데《한국지명총람》에서는 이곳의 이름을 다음과 같이 설명하고 있다.

가재울. 경티말 너머에 있는 마을. 가재가 있고 산이 둘러쌌으므로 '가재울' 또는 한자명으로 '가좌리加佐里'라고 하며, '이계말'이라고도 한다.

서대문구 가좌동은 산속도 아니고 개천의 상류도 아니다. 북한산 쪽에서 홍제동을 거쳐 흘러오는 모래내(홍제천)가 한강으로 흘러드는 곳이니, 내의 위치로 봐서는 개천의 하류라 가재가 서식한다고 보기가 어렵다. 또한 '모래내'란 이름을 봤을 때 그 근처에 가재가 많았을 것 같지 않다. 모래가 많다는 모래내에 가재가 살 리 없다.

"이 너머 개울에 가재가 많았다지요, 아마." 마을 이름의 내력을 물으면 대개 이와 비슷한 대답을 한다. 그러나 대개 '가재울'과 가재는 별로 관계가 없다. '가재울'은 주로 '가장자리'라는 뜻인 '갓(갗)'에서 나온 말인데, 이런 이름은 수도권에도 여러 곳 있다.

▶ '갓'이 '가재울'로 되기까지
갖+(의)+울 > 갖애울 > 가재울

그렇다면 서울 서대문구 가좌동의 본래 이름인 '가재울'은 어떻게 해서 붙여진 것일까? 북가좌동 일대는 옛날 고양군 연희면 지역으로, 그 남쪽에는 '잔들(잔다리)'이라는 벌이 펼쳐져 있다. 언덕

쪽에 있는 이 마을이 벌 가장자리에 있어 '가재울(갖의울)'이라는 이름이 나온 것이다.

그 벌 남쪽에 궁말(궁동)이 있었는데, 지금은 그 자리에 궁동근린공원이 있다. 홍제천 건너 쪽에는 동교동과 서교동이 있고, 다시 그 남쪽에 노고산과 와우산이 있다. 홍제천의 토박이 땅이름은 '모래내'인데, 서울 사람 중에는 지금도 이 이름을 모르는 이가 별로 없다. 근처에는 전통 깊은 모래내시장이 있다. 모래내 물줄기가 한강으로 흘러 들어가 합류하는 지점에는 사천교沙川橋라는 다리가 있다. 여기에서의 '사천'은 '모래내'의 의역意譯 표기이다.

'가장자리'의 사투리인
'가새'나 '가쟁이'를 뜻해

땅이름에서의 '가재'는 보통 '가장자리'의 사투리인 '가새'나 '가쟁이'를 뜻한다. '가장자리'란 뜻의 옛말은 원래 'ᄀᆞᆺ(ᄀᆞᆺ)'이었다. 'ᄀᆞᆺ'은 오늘날 '물가', '냇가'와 같은 복합어에서 거의 접미사로만 쓰인다. 오늘날 우리가 표준말로 쓰고 있는 '가장자리'란 말도 'ᄀᆞᆺ'과 '자리'가 합쳐진 복합어 형태의 말이다.

▶ 'ᄀᆞᆺ'과 '자리'가 합쳐진 과정

ᄀᆞᆺ + 자리 = ᄀᆞᆺ오 자리(ᄀᆞᆺ의 자리)

ᄀᆞᇫ자리 〉 ᄀᆞᅀᆞ자리 〉 가사자리 〉 가상자리 〉 가장자리

'가재'가 들어간 땅이름은 주로 'ᄀᆞᆺ'에서 나온 것이 많다. '가장자리'란 뜻의 'ᄀᆞᆺ'은 '가사', '가자', '가재' 등으로 전음되어 전국에 매우 많은 관련 지명을 낳았다.

◉ 연철 관계
갓 〉 가새. 가생이, 가상이
갓 〉 갖 〉 가재. 가쟁이, 가주(가죽)

◉ 모음 변화 관계
갓 〉 것. 것(겉)
갓 〉 겂. 겂욱(거죽)
갓 〉 겉. 겉ᄒᆞᆼ
갓 〉 갓 〉 긋 〉 굿. 굿(구시, 구석)

◉ 자음 변화 관계
갓 〉 것 〉 긋 〉 끝
갓 〉 것 〉 껏. 껍(껍질)

• 친척말 •

가<ruby>죽</ruby>, 가장자리, 가생이, 가죽, 살갗, 거죽, 겉, 겉질(껍질)

• 친척 땅이름 •

가재목, 가재울, 가실, 갓골(각골), 갑골, 갑곶

청계천의 옛 이름 '개천'

_ 서울시 청계천
_ 서울시 종로구 청운동의 청풍계

∧ ○ □

#청풍계천 #개천 #마른내

"오늘 이 팥죽골 마을이 떠들썩하겠어. 김 진사 댁 환갑잔치야."

"탑골 사는 김 진사 딸도 아침 일찍 모전다리를 건너오더구먼."

"며칠 새 비가 많이 와서 개천에 물이 엄청 불었어. 갓우물골 갯내에 배다리를 놓았다더구먼."

예전에 서울에서 '개천'이라고 하면 '청계천'을 일컬었다. '청계천'의 옛 이름이 '개천開川'이었다. 서울 한가운데서 줄기를 이루고 있어 북악산과 인왕산 남쪽 골짜기의 물, 남산 북쪽 자락의 물까지 몽땅 받아 내는 청계천은 비가 조금만 와도 금방 몸집이 불었다. 그래서 비가 오고 나면 한양 북촌과 남촌 사람들이 왕래에 어려움이 따르곤 했다.

청계천 정비는 한양에서 가장
중요한 사업이었다

청계천은 조선 건국 후 한양으로 도읍을 옮기고 도시를 정비할 때 새롭게 조성한 인공 하천이었다. 당시에 청계천은 홍수에 몹시 취약했다. 비만 오면 금세 물이 범람하니 그곳을 정비하는 일은 도성 한양에서 그 무엇보다 중요한 사업이었다.

1406년 1월, 태종은 청계천 정비의 골격을 세우고 처음으로 청계천 공사를 실시했다. 세종 때도 태종 때의 성과를 이어 정비를 실시했지만, 청계천 준천(또는 준설)을 본격적으로 벌인 것은 훨씬 나중인 영조 무렵에 이르러서였다.

1760년, 영조는 청계천 물이 잘 흐르도록 준천 사업을 펼쳤다. 이것은 영조 스스로도 자신의 6대 사업이라 할 만큼 그 의의가 큰 일이었다. 영조의 청계천 준천은 지도자의 의지와 백성의 노력이 어우러져 성공적으로 이뤄낸 국가적 사업이었다. 당시 상업이 발달하자 청계천 주변 인구가 증가하고 가옥도 늘어났다. 이로 인해 청계천 물의 오염이 심각해진 데다 상류 쪽의 벌채로 모래흙이 쓸려 내려와 청계천을 메우는 바람에 물이 자주 넘쳤다.

영조는 그 대책으로 청계천 준천 작업을 실시해 홍수를 방지하는 한편, 도시화가 진전되는 과정에서 발생한 실업자들에게 일자리를 만들어 주는 정책을 폈다. 그리고 실록을 비롯한 《준천사실濬川事實》 등에 이 과정을 자세히 남기도록 했다.

청계천 준천은 그저 성과만 칭송할 사업이 아니다. 그 모든 과정 하나하나 세밀한 검토를 하고, 의견 수렴을 해서 온 백성의 힘을 하나로 모으는 영조의 탁월한 지도력을 크게 드러냈기 때문이다.

'청계천'이란 이름은 상류의 '청풍계천淸風溪川'이라는 이름에서 나왔다. 청풍계는 오늘날의 종로구 청운동 일대, 즉 지금의 청와대 북서쪽 북악산 바로 남쪽 기슭의 골짜기이다. 이 내는 남쪽으로 흐르다가 광화문 앞 황토마루 인근에서 동쪽으로 꺾여 흘러간다. 그러다가 왕십리 밖 전곶교(살곶이다리) 근처에서 중랑천을 만나 남서쪽으로 흐름을 바꾸어 한강으로 흘러간다.

청계천에는 다리가 많았고, 냇가에는 작은 마을들이 옹기종기 자리잡고 있었다. 오늘날 무교동에 있던 마을인 팥죽골에서 동쪽으로 가면, 모전毛廛이 있고 그 마을에 모전다리가 있었다. '모전'은 과일을 파는 가게를 말한다.

광통교와 광교에서 더 가면 장통교가 나오는데, 이 다리는 '장찻골다리'라고 불렸다. 삼일교에서 조금 더 가면 수표교에 이르고, 이 다리는 청계천의 물 높이를 측정하기 위해 옆에 물재기 기둥인

◐ 청계천은 조선 건
국 후 한양으로 도
읍을 옮기고 도시
를 정비할 때 새롭
게 조성한 인공 하
천이었다.(1890
년대의 청계천)

수표를 세워 놓아서 붙은 이름이다. 다리 남쪽으로는 우물물이 먹
처럼 검게 보여 '먹우물'이라 부르던 마을이 있었으며, 이 이름이
바탕이 되어 '묵정동墨井洞'이 되었다.

    청계천 유역 사람들은 이 내에 늘 신경을 쓸 수밖에 없었다. 비
가 많이 오면 물이 넘치지 않을지 살펴야 했던 것이다. 청계천은 냇
둑이 자주 터지곤 했다. 이럴 때는 누구랄 것도 없이 모두가 나섰
다. 주민들의 힘으로 버거울 때는 관청의 도움을 받았다. 지금의 종
로구 '관수동觀水洞'은 그렇게 해서 생긴 이름이다. '물을 살피다'라는
뜻인 것이다. 이 근처에는 벙거짓골(모곡동帽谷洞), 비팟골, 웃너더리
(상판교上板橋) 등의 마을이 있었다.

서울에는 여러 개의 하천이 있는데 거의 한강으로 흘러 들어
간다. 말하자면 한강은 여러 하천을 모아 흘러가다 황해에 물을 바
치는 셈이다. 우리가 잘 알고 있는 임진강도 사실은 한강에 물을 바
치는 내이다. 임진강이 직접 황해로 흘러가지 않고 한강과 합류한
후에 황해로 흘러가니 말이다.

한강으로 유입하는 그 많은 하천들도 옛사람들이 부르던 토박
이 땅이름이 있었다. 중랑천은 '한내(상류 쪽)', 탄천은 '숯내', 양재천
은 하류 쪽에서는 '학여울내'였다. 안양천은 하류 쪽에서 '오목내'였
으며 홍제천은 '모래내', 불광천은 '까치내'였다. 용산전자상가 지역
을 지나는 만초천은 '덩굴내'였다.

❯ 서울 근처의 여러
하천이 한강으로
흘러 들어간다.

　　예로부터 사람들은 동네의 작은 하천을 보통 '개천'이라고 했다. 청계천이라고 다를 것이 없었다. 청계천의 옛날 정식 이름 역시 '개천'이었다. 본격적으로 '청계천'이라는 이름을 사용한 것은 일제 강점기 때였다. 일제는 우리 문헌에 나오는 '개천'이라는 이름을 없애고, '청계천'이라는 이름을 공문서와 지도에 쓰기 시작했다.

　　이렇게 '개천'이라는 이름은 서서히 '청계천'이란 이름으로 바뀌어 나갔다. 그러나 일본인들이 직접 이 이름을 붙였다기 보다 상류 쪽의 이름을 옮겨 붙인 것이다. 청계천 상류에 있는 종로구 자하문 근처에는 '청풍계'라는 마을이 있었는데, 이곳에 흐르는 '청풍계천'을 줄여서 하천 전체의 물줄기를 '청계천'이라고 정한 것이다.

　　청계천은 '청계'라는 이름 그대로 맑은 내였다. 그러나 한국전쟁으로 물이 심하게 오염되었다. 그러다가 1958년 복개공사로 청계천 줄기를 더 이상 볼 수 없게 되었다. 복개 당시 청계천 주변과

❯ 1958년 청계천 복개 당시 청계천 주변에는 '바라크 병영'이라 불리던 판잣집, 무허가 주택이 많았다.

○ ∧ □

다리 밑에는 '바라크 병영'이라고 불리는 판잣집, 토막집 같은 무허가 주택이 1천여 가구 이상 들어서 있었다. 여기서 나온 갖가지 오물로 악취가 코를 찌를 만큼 오염이 극에 달해 있었다.

모래내, 곰달내, 한내, 마른내……
흐르는 모습에 따른 내 이름들

내는 흐르는 모습에 따라 다른 이름이 붙는다. 서울의 한강으로 흘러드는 많은 갈림내들도 이름이 각각 다르다. 모래내, 곰달내, 한내, 마른내…….

한내(한천)는 '큰 내'라는 뜻으로 이 이름은 전국에 수도 없이 많다. '중랑천'이라고도 부르는 서울의 한내는 뚝섬 부근에서 한강으로 흘러드는데, 강으로 들어가기 전에 청계천을 아우른다. 따라서 청계천은 중랑천의 지류라고 볼 수 있다.

오목내는 영등포구 양평동 근처에서 오목한 지대를 흐른다 하여 붙은 이름이다. '안양천'이라고도 하는 이 오목내 역시 일반 용어가 고유명사로 굳은 것이다. 다시 말하면 고유명사답지 않은 고유명사인데, 땅이름에서는 이런 식의 이름이 아주 많다. 대표적으로 '청계천'이란 이름이 그렇다. 전남 무안군에는 청계면 청계리가 있고 경북 영양군, 충북 음성군, 경기도 양평군 등에도 '청계천'이 있다. '맑은 내'를 일컫던 일반 용어가 땅이름으로 정착된 것이다.

하천은 그 속성상 지류가 또 다른 지류를 갖고 있는 경우가 많다. 중랑천은 한강의 지류이고 청계천은 또 중랑천의 지류이지만, 청계천도 여러 개의 지류를 갖고 있다.

청계천으로 흘러드는 내 중에 잘 알려진 것이 마른내(건천乾川)이다. 남산 골짜기에서 흘러내리는 이 내는 지금의 중구 인현동 일대를 지난다. 조선시대엔 이곳의 마을 이름을 '건천동'이라 했으나 일제강점기 때 이 이름을 없애 버렸다. 건천동은 이순신 장군이 태어난 곳으로, 지금 마른내가 지나는 중구 인현동에는 이순신 생가터 표석이 있다. 서울시에서는 '마른내'라는 이름을 가치 있게 보고 이곳을 지나는 길의 이름을 '마른내로'라고 지었다.

내는 흐르는 모양이나 흐르는 장소에 따라서도 이름이 다르게 붙는다. 조상들은 내의 모양이나 특징을 보고 갖가지 이름들을 지어 붙였다. 아무리 서로 다른 이름을 붙인다 하더라도 한계가 있을 것이다. 그런데도 다양한 내의 이름이 만들어질 수 있는 이유가 있다. 우리말이 하나의 사물을 표현하더라도 여러 가지로 나올 수 있기 때문이다. 내의 이름에서 우리말의 다양성을 볼 수 있다.

◉ 흐르는 모양에 따라 붙은 이름

두레내-회천㢄川

구븐내(구비내)-곡천曲川

돌내-회천㢄川, 석천石川

두리내-회천㢄川

고든내(고지내)-직천直川

고등이내-고등천高等川

깊은내(지프내)-심천深川

오목내-오목천悟木川

◉ 장소(위치)에 따라서 붙은 이름

사이내-사이곡천沙仙谷川

새내(샛내)-간천間川

사태내-사태동沙汰洞

모래내(모라내)-사천沙川

골지내(고내)-골지천艹之川

고살내-고사곡천古杳谷川

벌내(버리내)-벌천伐川

◉ 길게 흘러서 붙은 이름

버드내-유천柳川

범내(벌내)-호계虎溪

진내-장천長川

먼내-원천遠川

◉ 크기에 따라서 붙은 이름

솔내-송천松川

가는내–세천細川

조내(졸내)–소천小川

한내(큰내)–한천漢川, 대천大川

너르내(너부내)–광천廣川

❯ 물이 아울러 붙은 이름

아우라지–병천竝川

아우내–병천竝川

아오지–아오지(탄광)

두무개–두모포斗毛浦

두물머리–양수리兩水里

• 친척말 •

청천淸川, 청수淸水, 청해靑海

• 친척 땅이름 •

청계못, 청수淸水, 청천淸川, 청담淸潭

○ ∧ □

달안, '달'이 '들'의 뜻으로

_ 경기도 안양시 동안구 달안동
_ 충북 보은군 장안면 배다리, 긴다리, 방아다리
_ 서울시 마포구 동교동과 서교동의 잔다리

#들 #달 #다리 #잔다리

　　'달川'과 '다리橋'. 언뜻 보기에는 서로 큰 연관이 없어 보인다. 이처럼 서로 연관이 있지는 않지만 말이 전음되는 과정에서 이음 관계를 맺게 되기도 한다. 우리말에서는 자음보다는 모음이 전음에 더 큰 영향을 끼치곤 했다. 지금의 '검다'라는 말은 '감다'에서 나온 것인데, 이것은 모음이 전음된 예이다. 이처럼 '들'도 '덜'로 전음될 수 있고, 다시 '달'로 전음될 수 있다. '달'은 또 연철되어 '다리'로도 변할 수 있다.

◐ '들'이 '달'이 되기까지

들 > 덜 > 달 > 다리(달*이)

얼핏 생각하면 '달'과 '들'은 별 관계가 없을 것 같다. 그런데 우리말은 '나비-너비', '믓水-못池'처럼 모음이 달라도 자음이 같으면 비슷한 뜻을 갖는 경우가 많다. 그래서 '달'과 '들'도 연관이 있지 않을까 하는 궁금증이 생겼다.

이런 궁금증을 갖고 1990년대에 경기도 안양시 평촌동 일대를 답사한 적이 있다. 지금과 같은 아파트 단지가 들어서기 전이었다. 이곳은 북쪽과 동쪽에 각각 관악산과 모락산이 가까이 있고, 서쪽으로 수리산이 멀리 보이는 너른 벌판이었다. 주위는 온통 논밭이었다. 벌 주변으로는 벌말(평촌), 날미(비산), 한벌말(관양동), 범내(호계) 마을 등이 있었다.

◐ 지금과 같은 아파트 단지가 들어서기 전인 1990년 1월의 안양시 달안이다.

그러나 아파트 단지가 들어서자, 토박이 주민들은 농토를 내놓고 다른 지역으로 하나둘 떠났다. 그들은 오랫동안 정든 고향을 떠나기 싫었을 것이다. 이 벌판 가운데에 있던 한 작은 마을이 '달안'이었다. 이곳 사람들에게 땅이름의 유래를 물었더니 재미있는 대답이 나왔다.

"왜 달안이냐구요? 온통 진흙탕 지역이라 살기 힘들어서 마을 사람들이 다 달아나서 '달안'이래요."

"맞아 맞아. 그래서 이 마을이 달안이지. 이름 그대로 다 달아나게 돼 있잖아요. 그래서 조상들이 미리 알고 그렇게 이름을 붙였나 봐요."

달안은 '들 안'이라는 뜻

달안은 여남은 채의 집들로 이루어진 작은 마을이었다. 빈집도 조금 눈에 띄었는데 토지 보상금을 받고 다른 곳으로 떠난 집들이었다. 이 마을은 들의 안쪽에 있었다. '달안'은 '들 안'이라는 뜻이다. 옛날 지도에 적힌 이곳의 한자식 지명은 '월내川內'인데, 이것은 '달안'을 그대로 의역한 것이다. 지금 이 지역에는 '달안동'(경기도 안양시 동안구 달안동)이라는 행정 지명이 붙여져 있다. '달안'이란 말을 들으면 '달川의 안內'이라는 뜻을 생각하게 된다.

우리 땅이름에서는 '달'을 의역할 때 보통 한자의 '월川'을 취한다. 음역할 때는 '달'을 취하는 경우가 많다. 전북 군산시 서수면 화등리의 '달가매'라는 마을은 한자로 '월암'이라고 쓴다. '마을 이 반달같이 생겼다'고 풀이해 놓고 있다. '달개'라는 나루도 있 다. 전북 군산시 성산면 성덕리의 구렁목에서 충남 서천군 화양면 고마리로 건너가는 나루인데, 뒷산에서 '달 뜨는 것이 보인다' 하여 붙여진 이름이라고 전한다. 그 밖에도 전남 신안군 도초면 발매리 의 '달개(월포)', 경북 문경시 산북면 이곡리의 '달고개(월현)' 등 '달' 자가 들어간 마을 이름이 엄청 많다.

그러나 이런 지명은 대부분 하늘의 달과는 아무런 관계가 없 다. '달'이라는 낱말이 엄연히 존재하기 때문이다. 이 뜻의 '달'이 '들'과 같다고는 전혀 생각할 수가 없지 않은가? 따라서 땅이름 해 석에는 많은 연구가 필요하다.

'다리'는 '들'이라는 뜻을 지닌 '들'의 연철형

충북 보은군 장안면에는 '다리' 자가 들어간 땅이름이 많다. 그 예로 '배다리', '긴다리', '방아다리' 등을 들 수 있다. 여기서 '다리'는 어떤 뜻을 담고 있을까? 우선 장안면 구인리의 '긴다리'는 '장교' 라는 뜻이 아님을 확인할 수 있었다. 긴다리에 들러 마을 사람에게 들은 이야기이다. "긴 다리가 있을 리 없죠. 옛날엔 있었는지 모르

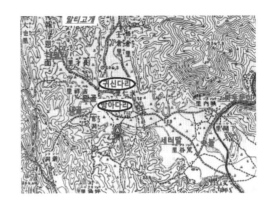

충북 보은군 장안면에는 '다리'가 들어간 땅 이름이 많다. 방아다리와 귀신다리가 대표적이다.

지만……." 그 마을에는 긴 다리가 있을 만한 큰 개천도 없다고 했다. 그 지역의 들이 북쪽 말치(말티고개) 골짜기까지 길게 뻗은 것으로 보아 '긴다리'는 '긴 들'임이 분명했다. 이곳의 행정 지명 '구인'은 '긴'의 소리를 빌려 취한 것임을 알 수 있었다.

'긴다리' 마을 남쪽에 있는 '방아다리' 마을에는 한국전쟁 직후에는 열 채 조금 넘는 가구가 있었지만, 살기가 어려워지자 한 집 두 집 빠져나가고 두어 채만 남았다. 그런데 이 마을에도 다리는 없었다. 다만 들 모양이 방아처럼 생겨서 '방아'라는 이름이 붙었다는 이야기를 들었다.

'배다리'는 구인리에서 직선거리로 서쪽으로 3킬로미터 정도 떨어진 곳에 있었다. 이 마을에서도 역시 '다리'에 대한 이야기는 들을 수 없었다. 마을 이장에게 들은 이야기이다. "비가 엄청나게 온 해에 이 앞의 들판이 온통 물바다가 되었답니다. 물이 오랫동안

안 빠져서 마을 사람들이 배를 타고 다니면서 농사를 지었다더군요. 그래서 마을 이름에 '배' 자가 붙어 '배다리'래요."

만약 이곳이 물바다였다면 이 아래쪽 보은 읍내는 완전히 쑥밭이 되었을 것이다. 이 마을의 '배다리'도 역시 다른 곳의 배다리처럼 '뱃들(밧들)'이 원래 이름일 것이고 '바깥쪽 들'이라는 뜻을 가졌을 것이다.

서울시 마포구에는 '잔다리'라 불렸던 세교동細橋洞이 있었다. '세교동'은 1914년 일제강점기 때 행정구역의 폐합으로 붙여진 이름이다. 당시 세교동은 경기도 고양군 연희면 서세교리였다. 1943년 11월에 이 지역은 경성부 마포구 동교, 서교, 합정, 망원동으로 편입되었고, 1955년 4월 동제 실시 때 이 4개 동은 하나로 합해져 '세교동'이 되었다.

세교동에서 잔다리의 윗동네는 '웃잔다리'라 했는데 뒤에 동교동이 되었다. 아랫동네는 '아랫잔다리'라 했다가 뒤에 서교동이 되었다. '잔다리'라는 이름 역시 이곳에 들이 있어서 붙은 이름이다. '잔다리'라는 이름은 '좁은 들'이라는 뜻을 지녔다. 웃잔다리에는 재미난 일화가 전해진다. 웃잔다리에 들른 사람이 마을 사람에게 물었단다.

"이 마을은 이름이 뭔가요?"

"우짠다리."

"네? 마을 이름을 물었더니 대뜸 무슨 말인가요?"

"방금 마을 이름을 묻지 않았어요? 우짠다리라고요. 전라도에선 '우짠다리'가 '어떻게 하냐?'는 뜻이래요. 이 마을에 사는 사람들이 먹고살기 힘들어서 맨날 어떻게 먹고사느냐고 '우짠다리 우짠다리' 했다나 봐요."

마을 이름의 유래를 모르는 이들 사이의 대화가 헛웃음을 치게 한다. 사람들이 마을 이름의 뜻을 엉뚱하게 알고 있으니, 필자야말로 우짠다리!

거듭 밝히지만 '다리'가 들어간 땅이름 중에는 '들'이라는 뜻을 지닌 것이 많다. '다리'는 내나 강에 놓인 '다리'를 뜻하기도 하고, '들'이라는 뜻을 지닌 '달'의 연철형이기도 하다. 전국에 퍼져 있는 '다리' 관련 지명을 대개는 '다리橋'라는 뜻으로 해석하려는 경향이 있는데 이는 잘못된 것이다.

그 '어떤 곳'에 해당하는 것이 바로 땅이름

'들'이 '달', '돌'로 불리다가 이것이 음차되어 '등嶝', '돌突'이 되었고, 훈차되어 '월月', '진珍', '석石'이라는 한자로 쓰였다. 들 가운데의 마을 이름에 '월月' 자가 많은 것은 '달'이 '들'이라는 뜻을 지녔기 때문이다.

사람들이 어느 곳에 자리잡고 살면 자리 잡은 때와 거의 동시에 그 일대에 땅이름이 생겨난다. 사람들이 모여 사는 곳이 '어떤 곳'인지 나타내는 이름이 생기는 것이다. 그 '어떤 곳'에 해당하는 것이 바로 '땅이름'이라고 할 수 있다. 이것이 입에서 입으로 전해지고 훗날 여러 사람의 입에서 굳어지면, 여간해서는 다시 바뀌지 않는 불변성을 지닌다. 다만, 세월이 흐름에 따라 편한 발음으로 바뀌어 갈 수는 있다.

따라서 땅이름을 조사하다 보면 그 본디꼴(원형)인 옛말을 많이 발견하게 된다. 이미 한자로 바뀌어 버린 것도 많지만, 한 자식 땅이름도 잘 캐 보면 그 속에서 조상들이 쓰던 말이 그대로 배어 나오는 경우가 있다.

들과 관련된 땅이름도 예외는 아니어서 그 속에서 많은 옛말 또는 방언을 찾을 수 있다. 들은 우리 조상들의 생활 터전이어서 들 이름 자체가 그대로 마을 이름이 되기도 했다. 들이나 벌의 마을이라고 해서 그대로 '들말', '벌말' 같은 이름도 쏟아져 나왔다.

'들'의 원래 음은 '둘'로, '덜', '달' 등의 음으로도 불렸다. '둘'은 처음에는 단순히 '들野'이라는 뜻만 아니라 산과 돌, 흙 등을 포괄하는 '땅'이라는 뜻을 지니고 있었음이 확실하다. 지금의 '양달', '응달'의 '달'에도 '땅'이라는 뜻이 있다. '달구질'이란 땅을 다지는 일을 뜻하는데, 이때의 '달'도 땅이다. '달'은 산山의 뜻을 지니기도 하는데, 지금의 '진달래'란 말을 보면 알 수 있다.

'들'은 또 경음화해서 '뜰'이 되기도 했는데, 지금은 이 말이 '마당' 또는 '정원庭園'의 뜻으로만 쓰이고 있다. '달'이라는 말이 오랜 시간 여행을 거치며 '마당'과 '정원'이라는 참 예쁜 말을 낳은 것이다. 땅이름을 찾아가는 여정은 늘 새로운 기대를 품게 하는 길이기도 하다.

○ ∧ □

• 친척말 •

달구질, 들판, 덜머리(들머리)

• 친척 땅이름 •

더릿골, 교곡橋谷, 더랏개, 교포橋浦, 더랏목, 교항橋項, 가드래,

가평加坪, 야촌野村, 벗들, 유등柳等

바위섬 독섬, 독도

_ 경북 울릉군 독도

_ 서울시 송파구 석촌동 돌말

∧ ○ □

#돌섬 #독섬 #독 #돗

우리나라 가장 동쪽에 있는 섬. 육지 안에서도 동쪽으로 한참 가야 하지만 바닷길로도 다시 200리를 더 가야 하는 섬. 그토록 고생스럽게 찾아가도 3대가 덕을 쌓아야 그 모습을 온전히 볼 수 있다는 섬. 그곳이 바로 독도다. 이토록 외롭게 떨어져 있는 우리 섬을 두고 일본은 자기네 땅이라고 계속 우겨 대니 화가 난다. 독도가 옛날부터 우리 땅이라는 것은 그 이름으로도 쉽게 알 수 있는데…….

○ ∧ □

독도는 문헌에 여러 가지 이름으로 나타난다. 독도는 본래 삼국시대에는 '우산국于山國'이라고 불렸다. 이 이름은 신라 22대 지증왕 12년(511)에 하슬라주(강릉) 군주인 이사부異斯夫가 '우산국'을 정벌했다는 기록으로 우리나라 역사서에 처음 등장한다.

다음으로 나타나는 이름은 '삼봉도三峯島'이다. 이 이름은 조선 9대 임금인 성종 2년(1471)에 '따로 삼봉도가 있다'는 말을 듣고 박종원을 파견해 이 섬을 찾게 했다는 기록과 함께 나온다. '삼봉도'라는 이름은 이 섬이 보는 위치에 따라 봉우리가 세 개로도 보이기 때문에 붙여진 것이다.

한자식 이름인 '독도獨島'는 광무 10년(1906) 음력 3월 5일에 울릉군수가 보고한 보고서에 '본군 소속 독도本郡所屬獨島'라는 글귀에

❷ 독도는 원래 '독섬'이라 불렸다.

ⓒ 독도, 북동쪽에서 본 서도, 서원수, 공유마당

등장한다. 이 글은 고종 18년(1881)에 울릉도 개척 이후 울릉도 주민이 지어낸 듯하다는 추측도 있다. 하지만 실제로 '독도'라는 이름은 우리 어부들이 아주 오랜 옛날부터 토박이말로 써 온 이름을 한자로 적은 것이다.

'다케시마'라고 부르며
자기네 영토라고 우긴다

일본은 독도를 '다케시마'라고 부르면서 자기네 영토라고 우긴다. 그렇게 된 역사적 내막을 알아보려면 조선시대로 거슬러 올라가야 한다. 조선시대 후기, 조정에서는 동해의 섬 주민들이 왜구와 연락해 변방에 환란을 일으킬까 염려해 독도를 비우는 정책을 펼쳤다. 이 때문에 왜구들은 이 섬을 마음 놓고 드나들었다. 그러면서 독도를 '이죽도(이소다케시마)' 또는 '다케시마竹島'라고 부르며 자기네 영토라고 주장했다.

일본이 자기네 땅이라고 우기며 부르는 '죽도竹島'라는 이름은 '대섬'이라는 뜻을 지니고 있다. 이 이름은 '산의 섬'을 뜻하는 '달섬山島'이 변한 말을 일본인들이 한자로 옮긴 것이 아닌가 생각된다. '대'는 우리말에서 '산山'의 옛말인 '닫(달)'이 변한 말이고, 독도의 우리 옛 이름인 '우산'이나 '삼봉도'도 모두 '산'이 들어간 땅이름이므로 이들과 관계가 있는 듯하다. '닫'이 '대'로 변화하는 과정은 '받

(밝)'이 '배'로 변해 '밝달'이 '배달'이 된 과정과 연관 지어 보면 된다.

일본은 1904년에 독도를 자기네 땅으로 만들려는 더 적극적인 행동도 했다. 그 주인공은 일본 시마네현島根縣에 사는 니카이 요자부로中井養三郞라는 어부이다. 그는 독도에 와서 여러 특산물을 채취해 수익을 올렸다. 그러자 어부는 이를 독점하고 싶어서 무인도인 독도를 시마네현에 편입시켜 임대해 달라는 청원서를 일본 정부의 내무·외무·농상무 대신에게 제출했다.

이에 1905년 일본 내각 회의에서는 이 섬을 다른 나라가 점령한 적이 없다는 일방적인 이유를 들어 일본 영토에 편입시킨다고 의결했다. 그러나 인류 역사상 내각의 결정만으로 남의 나라 땅을 자기 나라 땅으로 만든 선례는 그 어디에도 없었다.

'바위섬'이라는 뜻의 '독섬'

우리 토박이말로 부르던 독도의 이름은 따로 있었다. 그것은 바로 '바위섬'이라는 뜻의 '독섬'이었다. '독도'라는 이름은 '독섬'에 바탕을 둔 것이다. 지금도 울릉도 일부 주민들은 이 섬을 '독섬'이라고 부른다.

삼면이 바다로 둘러싸인 우리나라에는 '바위섬'이라는 뜻을 가진 '독섬'이 30여 개가 있다. 이 섬들은 대개 농사를 지을 수 없는 척박한 땅이어서 주민들이 항상 거주하는 것은 아니다. 그러나 바다에서 고기잡이를 하던 어부들이 비바람을 만나면 이곳에 배를 정박시키고 잠시 위험을 피해 가곤 했다. 평소에는 척박하기만 한 쓸모없는 섬이지만, 풍랑을 만난 이들에게 말없이 품을 내주는 섬이었다. 어부들은 이런 바위섬을 대개 '독섬'이라고 불러 왔다.

우리나라에는 '독섬'이란 이름의 섬도 많지만, '독섬'과 비슷한 이름을 가진 땅이름도 2천여 개나 된다. 동해의 독도도 그 섬들 중 하나였다. 울릉도 주민을 비롯한 동해안 지방의 어부들이 지금까지도 '독섬'이라고 부르고 있다. 바로 이 사실에서도 우리 땅임을 잘 알 수 있다.

'독섬'이라는 이름에서의 '독'은 옛말 중에 '돌石'이라는 뜻을 지닌 '돍'의 전음이다. 이를 한자로 소리옮김音譯한 것이 지금의 '독도獨島'라는 한자식 이름이다. 반면 '돌섬'은 대개 최근에 생겨난 말을 따라 붙인 것으로, 이 이름의 역사는 그리 오래되지 않았다. 다시 말하면 '독섬'과 '돌섬'은 그 뜻은 같지만, '독섬'은 대개 매우 오래전에 붙여진 땅이름이라면, '돌섬'은 대부분 그보다 나중에 붙여진 이름이다.

'독'은 옛말로 '돌石'이라는 뜻

돌 관련 땅이름에는 돌골, 돌말, 돌곶이(돌꼬지), 돌고개 등 여러 가지가 있다. '돌'을 옛날에는 '돗' 또는 '독'이라고도 했다. '돌'은

○ ∧ □

지금까지 써 오고 있지만, '독'은 일부 지방의 사투리로 남아 있거나 거의 쓰이지 않고 있다. 따라서 '독'이라는 음이 들어간 땅이름 중에는 오랜 옛날에 형성된 것이 무척 많다.

'독(돗)'이 옛말로 '돌石'이라는 뜻이었다는 사실은 '도끼'가 잘 뒷받침해 준다. '도끼'의 옛말은 '돗귀'로, 이 말의 뿌리는 바로 '독'이다. 오랜 옛날에는 '돌' 자체가 오늘날의 도끼와 같은 구실을 해서 이런 이름이 붙은 것이다. '독(돗)'이라는 말은 일본으로 건너가 '닷'이나 '돗'이 되어 '다찌太刀' 또는 '도쓰短刀'라는 말을 낳았다.

전라도에서는 돌을 대부분 '독'이라 부르고, 대전과 그 근처 지방에서도 이 말을 많이 쓰고 있다. 그래서 돌마을은 '독막'이나 '독골', 돌우물은 '독우물', 돌산은 '독미', 돌고개는 '독재'나 '독고개'라 부르고 있다. 돌이 많은 제주도에서도 흔히 돌을 '독'이라고 부른다. '독드르(서귀포시 상예동)', '독다리(서귀포시 대정읍 상모리)', '독곶

● 서울시 송파구 석촌동은 대표적인 돌 마을로 돌이 많아 '돌말'이라고 했다

ⓒ 문화재청

(제주시 한경면 조수리)' 등의 땅이름이 널려 있다.

서울시 송파구 석촌동石村洞은 대표적인 돌 마을이다. 이곳은 본래 경기도 광주군 중대면 송파의 한 마을로, 원래는 돌이 많아 '돌말'이라고 했다가 후에 '돌마리'라고 불렸다. 일제강점기인 1914년 3월 1일, 경기도 구역 획정에 따라 한자명으로 '석촌리'라 했다가, 1963년 1월 1일 서울특별시에 편입되어 '석촌동'이 되었다.

한편 '돌말'이나 '돌골', '돌모루' 중에는 '돌石'이라는 뜻이 아니고 '돌다(돌아들다)'는 뜻에서 붙여진 이름도 많으니 잘 살펴봐야 한다. 즉, 물이 돌아들어 '돌골洞村'인 곳도 있고 돌이 많아 '돌골石村'인 곳도 있으며, 물이나 길이 도는 곳이어서 '돌모루回隅', 돌 언덕이어서 '돌모루石隅'인 곳이 있다. 따라서 땅이름을 해석하기 전에 현장을 먼저 돌아보는 것은 매우 중요하다.

• 친척말 •

돗기(도끼), 돗나물, 독밭(돌밭), 독고개(돌고개)

• 친척 땅이름 •

독섬, 독섬께, 독섬배기, 독골, 독밭, 돗골

○ ∧ □

너의 섬, 너나 가질 섬,
너벌섬 여의도

_ 서울시 영등포구 여의도

#너른 #넙

    '섬'의 사전적인 의미는 '사방이 물로 둘러싸인 육지'이다. 즉, 땅 둘레가 모두 물이라야 섬이다. 그런데 서울에는 '섬'이라는 이름이 붙었으면서도 사방이 물로 둘러싸이지 않은, 섬 같지 않은 섬이 있다. 뚝섬과 여의도이다.

    옛날에 여의도는 섬이었다. 그때는 여의도 둘레가 모두 물이었다. 즉, 한강 가운데에 있는 섬이었다는 말이다. 그래서 이름도 여의도汝矣島였다. 이 이름을 한자로 풀어 보면 '너의 섬' 또는 '너나 가질 섬'이라는 뜻이다. 지금은 금싸라기 땅이 된 이 땅을 너나 가

지라니? 도무지 믿을 수 없다. '여의도'라는 땅이름의 내막을 알고
싶어진다.

여의도는 나라의 중요한 목장이었다

여의도는 한강의 퇴적작용으로 모래가 오랜 세월 동안 쌓이고
쌓여 생긴 섬이며, 조선시대에는 말 목장이었다. 말 목장의 중심이
되는 작은 산을 '양마산養馬山' 또는 '양말산'이라고 했다. 양말산은
지금의 국회의사당 자리에 있었던 산으로 높이가 한 50미터쯤 되
었다. 양말산은 국회의사당을 지을 때 흙을 깎아서 둑을 쌓는 데 이
용해 지금은 산의 형체가 사라지고 없다.

방목장이던 여의도의 모랫벌은 '양말벌'이라고 했고, 그 안쪽
에 있는 벌은 '안양말벌'이라고 했다. 양말벌에서는 양이나 염소도
많이 길렀다. 그 내용이 《대동지지大東地志》, 《동국여지비고東國輿地備
考》에 나온다.

여의도는 밤섬 서쪽에 있는데, 맑은 모랫벌이 육지에 닿아 있
다. 여기에 전성서典牲署의 외고外庫가 있어서 양을 놓아 기른다.

_김정호, 《대동지지》

나의도(여의도)는 예전에 목장이 있어서 사축서司畜署와 전성서의 관원을 보냈으나 이를 폐지했다. 지금(고종 때)은 사축서의 양 50마리, 염소 60마리만을 놓아 기른다.

_저자 미상,《동국여지비고》

이 기록에서도 여의도는 나라의 중요한 목장이었음을 알 수 있다. 그러나 조선 말까지도 이 섬에는 주민이 없었다. 그 빈자리에 밤섬이나 강 건너편 마포 사람들이 땅콩 등을 심어 거둬 먹는 정도였다. 여의도는 조선시대에는 경기도 고양군(지금의 고양시)으로 일제 때는 '여율리如栗里'라고 불렀다. 이 이름은 '여의도'의 '여汝' 자와 '율도(밤섬)'의 '율栗' 자를 취한 것이다. 1933년 말 조사 자료를 보면 여율리에는 일본인이 1가구, 한국인이 101가구가 있었는데, 이들은 모두 밤섬에 거주했던 것으로 나온다.

❯ 현재의 국회의사당이 들어선 1958년의 여의도 양말산 헐기, 조선시대에 여의도는 말 목장이었다.

너른 벌의 섬, 여의도

여의도는 문헌에는 여러 이름으로 나온다. 《동국여지승람東國
與地勝覽》에는 밤섬과 여의도가 붙은 한 섬으로 '잉화도仍火島', 《동국여
지비고》에는 '나의도羅衣島', 《대동지지》에는 '여의도'라고 기록되어
있다. 이 이름으로 미루어 보건대, 여의도는 '너른 벌의 섬'이라는
뜻인 '너벌섬'으로 불려 온 듯하다. '나의도'의 '나'는 '너'의 소리빌기
이고, '의衣'는 '벌'을 취한 한자 표기로 보인다. '옷'의 옛말이 '벌'이기
때문이다. 따라서 '나의'는 '나벌' 또는 '너벌'의 표기로 보인다.

'잉화도'에서 '잉仍'도 '너' 또는 '나'의 옮김으로 보인다. 이 '잉'
은 '니'로도 읽어 왔는데, 예로부터 땅이름에서 '너', '니' 등의 소리빌
기로 많이 써 온 글자이다. '잉화'의 '화火'는 '벌'과 음이 비슷한 '불'
을 뜻한다. '잉화도'는 결국 '너벌섬' 또는 '니벌섬'의 한자 표기로 보

▶ '여의도'는 '너벌섬'의
다른 표기이다.

○ ∧ □

인다. 즉 '여의도', '잉화도', '나의주'는 모두 '너벌섬'의 다른 표기이다. 항간에서는 '여의도'를 쓸모없는 땅이라고 하여 '너나 가질 섬'이라는 뜻에서 나왔다는 얘기를 한다. 이는 한낱 이야기를 좋아하는 사람의 입에서 나온 근거 없는 말이다.

'넓다'의 원말은 '넙'

경기도 시흥의 고구려 때 이름은 '잉벌노'였는데 통일신라 때 경덕왕이 '곡양穀壤'으로 고쳤다. 잉벌노가 변한 이름인 '잉화곡仍火谷'은 경기도 안산시의 한 지역 이름으로 1914년 군면 폐합 때까지 남아 있었다. 곡양의 '곡穀'도 그 훈이 '낟'이므로 '나', '너'의 차음으로 이용했다. 이 이름들은 '너른'이라는 뜻이 포함된 것으로 보인다.

잉벌, 잉화의 '벌'과 '화'는 결국 같다. 발음상 '불'은 '벌'과 비슷하다. '잉화'의 원래 이름은 '너븐들'로 보이는데, 시흥시 광석동廣石洞의 토박이 땅이름으로 아직도 남아 있다는 사실은 지명의 끈질김을 실감하게 한다. 고양시 화정동에는 '너벌', '너비울'이라는 친척 땅이름이 남아 있다.

'늘다'나 '넓다' 같은 말은 많은 친척말을 두고 있는데, 토박이 땅이름에서도 매우 다양한 형태로 나타난다. 넓다의 원말은 '넙'이다. '넙'이라는 말이 들어간 옛 문헌을 보면 다음과 같다.

중생을 너비 제도濟度하시니

_수양대군,《석보상절》

광廣은 너블씨오

_《월인석보》(권7)

'넙'은 수많은 명사를 낳았다. 넓고 펑퍼짐하게 생긴 바위를 '너럭바위'라고 하는데 옛말은 '너러바회'이다. 그 밖에 '늦다', '눅다(누긋하다)', '눕다', '늘다', '느리다', '낮다', '얇다', '얕다', '널다(빨래 따위를)' 같은 말도 발음상으로나 뜻으로나 '넙', '널'과 매우 가깝다는 것을 느끼게 한다.

흔히 사람들은 경기도 성남시 '판교板橋'를 널을 놓아 만든 다리가 있어 붙인 이름이라고 하지만, 이 이름은 '너른 들'이라는 뜻의 지명이 변한 것이다.

● '널들'에서 '널다리'가 되기까지

널들 〉 널드리 〉 널다리板橋

'널'이라는 말은 시간이 흐르면서 전라도에서는 '노루목', '놀목', '놀메기'로, 충청도에서는 '누르매기', '눌목', '누르목'으로, 경상도에서는 '널목', '너르목', '너르메기'로, 경기도 지역에서는 '날목', '날매기', '날미' 등으로 변화 과정을 거쳤다. 이렇게 지역마다 표기

○ ∧ □

는 달라도 같은 뜻을 가진 이름일 수 있다. 땅이름을 글자 그대로만 해석해서는 안 되는 이유이다.

또한 우리말에서는 모음의 넘나듦 현상이 많이 나타난다는 점을 알아 둘 필요가 있다. 예를 들어 '널'과 '늘'은 발음은 비슷한데 모음이 다르다. 그러나 이 두 말은 서로 의미상으로 잘 통한다.

널: 넓다, 널따랗다, 널빤지, 넓적하다
늘: 늘다, 늘어지다, (길게) 늘리다

따라서 모음이 달라졌다고 하더라도 뜻이 완전히 달라지지 않은 것이 있음을 알아야 한다. '나비'와 '너비'란 말의 사전적인 뜻을 보고 생각해 봐도 좋다.

나비: [명사] 피륙, 종이 따위의 너비.
너비: [명사] 평면이나 넓은 물체의 가로로 건너지른 거리.

• 친척말 •

넓은, 넓적한, 널따란, 너붓한, 너볏한, 넉넉한, 너그러운, 널찍한, 널브러진, 너비(폭), 너벅선(넓은 배), 너벅지, 널빤지, 넙데기('수건'을 뜻하는 심마니말), 너러기(자배기), 널방석(넓은 짚방석), 넙치(둥글넓적한 얼굴을 가진 사람을 놀림조로 이르는 말), 너름새(말이나 사물을 펼쳐 놓는 솜씨)

• 친척 땅이름 •

잉근내仍斤內(고구려 때의 지명), 잉벌노仍伐奴(고구려 때의 지명, '너벌노'의 한자 표기), 잉홀仍忽(고구려 때의 지명, '느름골'의 한자 표기), 놀미獐山, 장산, 누르메(황산黃山), 너리미(어음於音), 널미(판미板尾), 느러리(어흘於屹), 너다리(너더리)

○ ∧ □

거룩함, 높음, 어짊의 뜻인
'용'을 품은 용산

서울시 용산구
경기도 안성시 양성면 미리내성지
경기도 양평군 용문면 용문산

∧ ○ ▢

#미르 #미리 #미리내

조상들의 생각 속에 사는 상서로운 동물이 있으니 바로 용이다. 용은 고대 중국에서부터 상상의 동물로 여겨져 왔다. 뿔 달린 머리, 비늘로 덮인 뱀 모양의 몸통, 날카로운 발톱이 달린 4개의 다리, 강과 호수, 바다 등지에 살며, 춘분 때 하늘로 올라 추분 때 땅으로 내려오는데, 자유로이 공중을 날아다니며 구름과 비를 몰아 풍운의 조화를 부린다고 전해 내려온다. 용은 이처럼 성스러운 동물로 알려지고, 길한 상징으로 신성시되어 국가적인 여러 설화를 만들어 냈다.

중국에서는 기린, 봉황, 거북과 함께 네 마리 신령스러운 동물의 하나이다. 인도에서도 신비롭고 민속적인 신앙과 숭배의 대상이다. 또 불교에서는 사천왕의 하나이다. 범과 더불어 남동풍을 가리켜 집안의 운을 이끄는 상서로운 동물로 생각해 왔다.

우리의 낱말 중에도 '거룩함', '높음', '어짊'의 뜻으로 '용'이라는 글자를 취한 것이 많다. 특히 하늘의 뜻을 받아 하늘을 대신해 천하를 다스리는 천자天子에 관한 용어에 '용'이 많이 쓰인다. 예를 들어 임금의 얼굴을 '용안', 임금의 눈물을 '용루', 임금이 앉는 평상을 '용상', 임금의 덕을 '용덕', 그 지위를 '용위', 임금의 은혜나 덕을 '용광'이라고 한다.

'용'을 뜻하는 순우리말 '미르'

'용'을 뜻하는 순우리말이 '미르'이다. 그래서 용이 사는 냇물이라는 뜻의 '용천龍川'을 '미리내(은하수)'라고 한다. '미리내'라는 땅이름을 가진 곳도 있다. 지금의 도로명 개편 이전에 인천광역시 용동에 '미르로'라는 도로 이름이 있었다. '용동'에서의 '용'이 '미르'이기 때문이다.

요즘 어린이들이 하는 메이플스토리 게임에 캐릭터 이름으로 '미르'라는 말이 등장한다. 2000년대 초반에 '한미르hanmir'라는 이름의 포털 사이트도 있었다. 하지만 정작 '미르'가 토박이 우리말인지, '토르Thor(천둥의 신)'와 같은 외래어인지, 뜻은 무엇인지 아는 사람은 그리 많지 않은 것 같다.

이제 '미르'라는 이름을 쓰는 사람은 별로 없다. 한자 그대로 '용'이라고 쓰는 사람이 대부분이다. 우리가 쓰는 말은 이렇게 생겨 났다, 한동안 수많은 사람이 쓰다가 세월이 흐르며 소멸해 가는 과정을 겪는다. '미르'와 '미리', 두 낱말은 뿌리말이 같다.

> ❯ '미르'와 '미리'의 뿌리말 '밀'

미르 = 밀+(으) 〉 밀으 〉 미르

미리 = 밀+(이) 〉 밀이 〉 미리

조선시대 아이들의 한자 학습을 위해 만든 책《훈몽자회訓蒙字會》에는 '미르'라는 말이 나온다. 조선 후기 정약용이 쓴《아언각비雅言覺非》에는 '미리'라는 말로 나오기도 한다.

> ❯《훈몽자회》에 보이는 '미르'

辰: 별 신 日月會次又北辰北極也又미·르진地支屬龍

이처럼 용은 '미르', '미리'로 불려 오긴 했지만, 주로 한자말인 '용'을 익혀 써 온 탓인지 옛 문헌에 '미르'라는 말은 많이 보이지 않고 땅이름에서도 이의 음역이 별로 없다.

한편《삼국유사》에 '추화推火'라는 지명이 나온다. 경남 밀양의 한 지역 이름으로, 이 역시 '용'과 관련이 있을 듯하다. 추화 고을 봉성사^{奉聖寺} 근처의 산 이름이 '견선^{犬城}'인데, 그 산이 바로 '추화'라고 보는 것이다. '추화'는 '밀부리(밀벌, 밀불)'라고 유추되므로 용산, 용봉(미르부리)이라는 뜻이다.

初師入唐廻, 先止于推火之奉聖寺. 適太祖東征至淸道境

처음에 스님이 당나라에 들어갔다가 돌아와 먼저 추화의 봉성사^{奉聖寺}에 머물렀다.

_《삼국유사》

> **'추화'는 '밀부리'라는 뜻**

추^推 > 밀('밀 추^推'라는 한자를 사용)

화^火 > 불('벌, 불 화^火'라는 한자를 사용)

전국에는 '용' 자가 들어간 지명이 무척 많다. 그 예로 용두산, 용마산, 용문산, 용화산 등을 들 수 있다. 이러한 산들은 산세가 용의 형국이거나 용과 관련된 전설을 가지고 있는 것이 보통이다. 그러나 더러는 '영^嶺'을 잘못 발음해 나온 것도 있고, '물'의 연철인 '무르', '꼭대기'라는 뜻인 '모루(마루)'가 용의 옛말인 '미르'로 오역되어 '용' 자가 취해진 것도 있다.

조사해 보니 전국 읍·면 이상의 행정 지명에서 동물 이름이 들어간 것 중에는 '용' 자가 들어간 것이 가장 많았다. '용' 자가 들어간 행정 지명으로는 경북 안동 와룡면 등 27개, '봉鳳' 자가 전남 여수시 쌍봉동 등 15개, '말馬' 자가 전북 익산군 금마면 등 13개 지역 이름에 들어가 있었다. 이런 사실만 보아도 예로부터 우리 조상들이 상서로운 동물인 용을 얼마나 중시해 왔는지 알 수 있다.

고려 태조 왕건과 다섯 마리 용의 터

　용은 봉황과 더불어 민간 신앙의 하나인 풍수 사상을 나타내기도 했다. 땅의 모양이 용의 형국인 곳은 평안과 부귀영화가 깃든다 하여 성城의 자리나 못자리를 찾을 때 중요하게 생각해 왔다. 이와 관련해 고려 태조 왕건의 일화가 유명하다.

　태조 왕건이 군사들을 이끌고 천안의 태조산太祖山에 주둔할 때였다. 당시에 왕건은 태조산에 관해 풍수지리 전문가이자 술사인 윤계방의 말을 듣게 되었다. "이 산의 땅모양이 오룡쟁주형五龍爭珠形이옵니다." 즉, 땅모양이 다섯 마리의 용이 여의주를 차지하기 위해 다투는 형상이라는 것이다. 이 말을 듣고 왕건은 이 산에 성을 쌓고 '왕자성王子城'이라고 이름을 지었다. 왕건은 이곳에 천안도독부를 설치하여 백성들을 이주시켜 고을을 만들었다. 그리고 군사들을 훈련시켜 후삼국을 통일했다는 이야기가 전해 온다.

용산은 산이긴 하지만
하나의 언덕으로 보인다

서울에는 '용산'이라고 하는 산이 있다. 지금의 용산구 원효로 4가, 산천동과 마포구 도화동, 마포동 사이에 있는 산이다. 용산은 산이긴 하지만, 지금의 상황으로 보아선 산이 아니라 하나의 언덕으로 보인다.

경치가 좋았던 용산 산언덕은 일제강점기 이후 서서히 무허가 주택들로 덮여 갔다. 그러나 집들이 들어서기 전인 1970년대까지만 해도 용산 남쪽 산비탈과 그 북쪽 언덕으로 나무들만 없을 뿐이지, 용산의 지형은 살아 있었다. 만약 이때라도 옛 모양대로 숲을 가꾸어 복원했다면 한강 경치를 즐길 수 있는 명승지가 되어 관광지로 크게 발돋움했을 것이다.

❯ 서울에는 지금의 원효로 4가, 산천동과 마포구 도화동, 마포동 사이에 이르는 '용산'이라는 산이 있다.

○ ∧ □

지금은 산자락을 가득 메운 아파트 건물에 묻혀 옛날의 아름다웠던 산 모양을 볼 수가 없다. '용산'이 산이었다는 사실을 아는 사람도 별로 없다. 그저 산천동 언덕이나 원효로4가의 강가 언덕 정도로만 알고 있을 뿐이다.

일제강점기 초기만 해도 이 산과 이 일대를 거의 모두 '용산'이라고 불렀다. 그 후에 한강로 쪽에 용산역이 생기고, 그곳이 상권 지역으로 발전하면서 '용산'이라는 이름이 차츰 그 지역으로 옮겨가 버렸다. 본래의 용산 지역과 새로운 용산 지역이 생기면서 '구용산', '신용산'으로 구분해 부르기도 했다.

요즘에는 '용산'이라고 하면 대개 용산역을 중심으로 하는 주위의 넓은 지역을 우선 떠올린다. 그래서 용산에 산다고 하면 지금의 원효로4가 쪽이 아닌 신용산, 즉 한강로 일대의 어디쯤에 사는 것으로 생각한다. 경치가 좋았던 '용산'은 아파트군에 묻혀 옛날의

❯ 용산성당은 전부터
'용산'이라고 불렀던
산마루에 있다.

정취를 찾아볼 수는 없지만, 이 지역이 원래의 용산이었음은 용산 성당과 그 아래 용산신학교 자리가 잘 말해 주고 있다.

2022년, 대통령 집무실을 서울 용산으로 옮겨오면서 집무실 이름을 국민들에게 응모를 받았는데, 응모작 중에는 '용'이라는 뜻의 '미르'라는 이름이 상당수 있었다고 한다. 예로부터 용이 임금을 상징하니 이 이름을 떠올린 사람이 많았을 것이다. 더구나 집무실의 위치도 용산이어서 많은 사람이 '미르'를 떠올렸을 것이다.

은하수처럼 흐르는 안성의 '미리내'

경기도 안성시 양성면 미산리에 가면 한국 천주교 사적지인 미리내성지가 있다. 한국 천주교 최초의 사제 성 김대건 신부의 유해가 묻혀 있는 곳으로 천주교 신자라면 거의 아는 곳이다.

성지의 이름인 '미리내'는 순우리말로 '은하수'라는 뜻이다. 그러나 정작 그 이름이 어떻게 해서 나왔는지 아는 사람은 많지 않다. '미리내'는 이 지역의 토박이 땅이름이다. 마을 이름도 '미리내'이고 내의 이름도 '미리내'이며 골짜기 이름도 '미리내'이다. 이곳의 내가 용이 헤엄치듯 굽이쳐 흐른다고 해서 나온 이름이다.

경기도 양평에는 용문산龍門山이 있는데, 여기에는 용과 관련된 이야기가 적혀 내려오고 있다. 용문산의 원래 이름은 '미지산'이다. '미지'는 '미리'의 옛 형태이다. '미지산'이나 '용문산'이나 뜻으로는 별 차이가 없는데, 언제부터 '미지산'에서 '용문산'으로 바꾸어 불렀는지는 정확하지 않다. 조선의 태조 이성계가 용이 날개를 달고 드나드는 산이라 하여 '용문산'이라고 칭했다는 설화가 전해 내려오고 있다.

아무튼 용의 옛말인 '미르'나 '미리'가 갈수록 잘 안 쓰이는 것이 못내 아쉽다. 밤하늘의 은하수를 보고 '용이 사는 내'라고 상상하고는, 그 이름을 땅 위로 데려올 생각을 해 낸 조상들의 상상력도 함께 사라져 가는 듯해서 말이다.

이 외에도 우리 조상들은 실생활에서 잘한 일과 잘못한 일을 지적할 때 '용'을 들먹이곤 했다. '등용문登龍門'이라는 말은 '어려운 관문을 통과해 크게 출세함'을 이르는데, 잉어가 중국 황허강 중류의 급류인 용문을 오르면 용이 된다는 전설에서 유래했다. '용 됐다'느니 '개천에서 용 났다'느니 하면서 '성공'의 뜻으로 말할 때 '용'

● 경기도 안성시 양성면 미산리에 가면 한국 천주교 사적지인 미리내 성지가 있다.

을 들먹인다.

　'용 가는 데 구름 간다(반드시 같이 다녀서 서로 떠나지 않는다)', '용 못 된 이무기 심술 부리듯(의리나 인정이 없고 심술만 부리다)' 등의 속 담도 있다. 이 외에도 '곤룡袞龍의 소매 뒤에 숨다'라는 말도 있다. 임 금이 입던 정복을 '곤룡포'라 하는데, 임금을 가까이서 모시는 신하 가 임금의 위광을 빌려 악행을 할 때 이 말을 쓴다. 이처럼 용은 실 제의 동물은 아니지만 다양한 속담이나 용어, 지명을 통해 우리 마 음속에 깊숙이 살아 있다.

• 친척말 •

미르(미리) 미르칸(용왕)

• 친척 땅이름 •

미리머리, 용계龍溪, 미리미, 용산龍山, 미리목,
용항龍項, 미르실, 진곡辰谷, 미르개, 진현辰峴

○ ∧ □

돌모루와
치악산 사이

《춘향전》과 돌모루, 물이 돌아들다

_ 서울시 용산구 청파동 돌모루
_ 서울시 성북구 석관동 돌곶이
_ 경북 안동시 풍천면 하회리 무돌이

#돌모루 #돌곶이 #무돌이

한국 문학 작품 중에서 가장 널리 알려진 《춘향전》은 작자나 연대를 알 수 없는 고전 소설이다. 소설의 이본異本이 무려 120여 종이나 되고, 이본마다 내용이 조금씩 달라 단일 작품이 아닌 작품군(춘향전군)으로 보기도 한다.

여기에는 판소리로 불리다가 소설로 정착되었을 것으로 보이는 판소리계 소설도 있고, 이것이 문장체 소설로 바뀐 것도 있다. 그런가 하면 한문본도 있다. 《춘향전》의 연구는 광범위하고, 여러 가지 문제가 거듭 논란되기도 했다.

이 도령이 암행어사가 되어 남원으로 가는 대목의 첫 부분에 나오는 땅이름들을 보면 지금의 서울시 용산구 청파동 일대를 주목하게 된다.

부모 전 하직하고, 전라도로 행할새, 남대문 밖 썩 나서서 서리胥吏, 중방中房, 역졸驛卒 등을 거느리고, 청파역 말 잡아타고…….

_춘향전, 《완판본完板本》

……고사당에 하직하고, 전라도로 나려갈 제 청파 역졸 분부하고, 숭례문 밖 내달아서, 칠패팔패 이문동, 도제골, 쪽다리 지나 청파 배다리, 돌모루, 밥전거리, 모래톱 지나…….

_《고본古本춘향전》

여기서 청파는 지금의 용산구 청파동을 말하며 칠패팔패는 염천교 근처, 이문동은 동자동(지금의 대우빌딩 근처), 도제골은 도동(지금의 동자동, 갈월동 근처)을 말한다. 그리고 쪽다리는 청파동2가쯤으로 덩굴내(만초천) 냇가에 있던 다리와 그 근처 마을을 말하며, 청파 배다리는 청파동3가 냇가에 있던 다리이다. 돌모루는 지금의 남영역 근처로 선린인터넷고등학교 근처가 된다.

이처럼 이 도령의 남행길 첫 부분에서 청파동 일대 지명이 여럿 나오는 것을 보면, 이곳이 옛날 삼남三南(충청도·전라도·경상도 세 지방)으로 가는 첫 출발지였음을 짐작하게 한다.

돌모루와 돌곶이,

물이 돌아드는 곳에 붙은 이름들

　　작품에 나오는 '돌모루'는 지금의 남영역 근처의 원효로 입구에 있던 마을로, 한자로는 '석우石隅'라고 한다. '석우(돌모루)'는 돌 때문에 생긴 이름이 아니고 '물이 돌아드는 모퉁이'라고 하여 붙은 이름이다. 여기에 언덕이 있어 만초천이 이곳을 돌아 흐르기 때문에 붙은 이름으로 보인다.

　　근처의 배다리는 용산구 청파동1가 168번지 지금의 갈월동 쌍굴다리 만초천에 놓였던 징검다리이다. 이곳은 숭례문에서 삼남대로로 가기 위한 중요한 다리였는데, 원래 징검다리와 목교木橋로 연결되었던 것을 후에 '돌다리'로 바꾸었다고 전한다. 조선 후기 한성부의 역사 등을 기록한 《한경지략》과 김정호가 편찬한 지리서 《대동지지》에는 '주교舟橋', 조선 중종 때의 지리서 《신증동국여지승람》과 조선시대의 인문지리서 《동국여지비고》에는 '청파신교靑坡新橋'라고 표기되어 있다. 다른 고지도에는 '선교船橋' 또는 '배다리'라고 기록되어 있으며, 일명 '청파 배다리'라고도 한다.

　　'돌모루' 외에도 물이 '돌아든다'고 해서 '돌'이 된 땅이름들이 많다. 서울 지하철 1호선과 6호선의 환승역인 석계역은 성북구 석관동의 '석石' 자와 노원구 월계동의 '계溪' 자를 취한 '석계石溪'에 근거한 것이다. 서울 성북구의 석관동石串洞은 '돌곶이'라 불리던 곳이다. 본래 한성부 동부 인창방의 일부로 지형이 '곶'으로 되었으므로 '돌곶이'라 했다.

그러다가 1914년 4월, 한자명으로 '석관리'라 하고 성 밖 지역이어서 경기도 고양군 숭인면에 편입되었다. 이후 1936년 4월, 경성부 관할구역 확장으로 다시 경성부에 편입되었고 1946년 10월 1일, 동명 변경에 따라 석관동이 되었다.

돌곶이라 불리던 곳이니 당연히 '돌石'과 관련지어 생각하기 쉽지만, '돌아드는 언덕'이라 하여 이 이름이 붙었을 가능성이 크다. '돌곶이'에서 '곶'은 불쑥 튀어 나간 곳, 즉 언덕이 들 쪽으로 머리를 내민 곳을 의미한다. 이와 비슷한 땅이름들을 보면 '돌'과 연결 지을 만한 것이 별로 없고 대부분 '돌다回'와 연결 지을 만한 것이다.

'석石' 자가 들어간 '석우石隅'라는 땅이름은 전국에 무척 많다. 충남 예산군 응봉면 송석리, 부여군 장암면 석동리, 당진군 합덕읍 석우리, 충북 청주시 청원군 오창읍 석우리 등이 모두 한자로 '석우石隅'라는 이름을 지니고 있다. 그런데 이들 지역에서는 대개 물이 돌아들거나 산허리가 휘어져 돌아간 곳이 많아 '돌'이 아닌 '돌아든다回'는 뜻이 들어간 것으로 보게 된다.

'무돌이' 하회마을,
강물이 마을을 감싸 흐르다

　　순우리말 이름으로 '무돌이'라고 하는 하회마을은 경북 안동
시 풍천면 하회리에 있다. '무돌이'란 '물이 돌아든다'는 뜻인데, 이
곳은 낙동강 줄기가 마을을 큰 S 자 모양으로 한 바퀴 돌면서 휘돌
아 나가 이런 이름이 붙게 되었다.

　　하회마을은 2010년 8월 유네스코 세계문화유산으로 지정되
었다. '하회민속마을', '안동 하회마을', '하회민속촌'이라고도 불리
지만, 이 지역의 토박이 어른들은 아직 '무돌이'라는 이름으로 부르
기도 한다.

　　이 마을은 퇴계 이황이 유생들을 가르치던 도산서원과 함께
안동의 대표적인 명소이다. 본래 하회마을은 풍산 유씨 일가가 살

❯ 순우리말 이름으로
　'무돌이'라고 하는
　하회마을은 경북 안
　동시 풍천면 하회리
　에 있다.

© 한국저작권위원회, 20
　18_신미식_국내_대한
　민국_5647

던 집성촌이라고 알려져 있는데, 조선 중기의 문신인 서애 유성룡이 이곳에서 자랐다. 이런 영향 때문인지 이 지방에는 아직도 풍산 유씨 성을 가진 주민들이 많다.

하회마을은 명당으로 알려져 있지만, 풍수지리에서 이상적으로 여기는 배산임수 지형은 아니다. 마을 북쪽으로 평지 가운데에 낮은 산이 있긴 하지만 남쪽은 강을 건너자마자 산지이다. 주산이라고 할 수 있는 화산花山도 마을의 동쪽에 자리하고 있다. 따라서 마을의 북서쪽 방향으로 숲을 만드는 등 풍수상 부족한 부분을 보완한 모습을 볼 수 있다. 이처럼 우리 조상들은 자연환경이 인간에게 지나치거나 모자란 면을 보완하는 지혜를 발휘하며 살아왔다. 땅이름을 배우다 보면 이렇게 조상들의 지혜가 빛나는 순간을 마주치게 되곤 한다.

풍수는 민속 지형이나 방위를 인간의 길흉화복과 연결시켜 죽은 사람을 묻거나 집을 짓기에 좋은 장소를 구하는 이론을 말한다. 우리나라에는 이와 관련해서 붙여진 땅이름이 매우 많다. 그중에는 용龍, 학鶴, 기린麟, 거북龜처럼 동물과 관련된 것이 많다.

지형을 보고 가급적 좋게 해석하여 '싸안은 터', '기운이 서린 터', '돌아드는 터' 식으로 풀고, 땅이름을 그와 연관하여 붙이기도 한다. 안동시의 '무돌이'는 물이 마을을 싸고 돌아드는 특징 때문에 '싸안음'의 뜻을 넣어 '물+돌이(무돌이)'란 이름을 갖게 됐다.

○ ∧ □

돌개바람, 돌돌(의태어), 돌아오다, 휘돌다, 감돌다, 도로(다시), 둘레

돌개골, 돌문이, 돌머리, 돌내, 회천^{回川}

돌고 돌다, 도라산

_ 경기도 파주시 도라산
_ 경기도 개풍군 임한면~파주시 탄현면 임진강

#돌다 #도라 #나리 #어울물

    분명 우리 땅인데 마음대로 갈 수 없는 곳이 있다. 바로 도라산역이다. 철길은 경의선 한 줄기로 이어져 있지만 한 번에 갈 수 없고, 안보상의 이유로 임진강역에서 열차를 갈아타야 한다. 열차를 갈아탈 때 신원 확인을 해야 하고 '허가증' 목걸이를 목에 걸어야 한다. 이렇게 번거로운 과정을 거쳐야 비로소 갈 수 있는 곳이지만, 열차 차창 밖으로 '도라산역'이라는 푯말을 확인하는 순간, '이곳이 우리나라의 마지막 역인 도라산역이구나!' 하는 깨달음과 함께 갑자기 코끝이 찡해질 것이다.

경의선의 종착역이 신의주라는 이야기는 교과서에서 귀가 닳도록 들었는데, 종착역까지는 못 갈지언정 몇백 리도 안 되는 개성이나 평양까지는 왜 달리지 못 한다는 말인가! 언젠가 도라산역을 찾아갔을 때의 그 안타까움이 지금도 생생하다.

'돌다'에서 나온 '도라'

도라산은 경기도 장단군長湍郡에 있는 산이다. 그러나 장단군은 북한 땅이며, 장단군의 일부만이 지금의 남측 행정구역으로 파주시 관내에 편입되어 있다. 동쪽은 경기도 연천군, 서쪽은 개풍군, 남쪽은 양주시와 파주시, 북쪽은 황해도 금천군에 닿아 있다.

고구려 때 장천성현長淺城縣이라고도 했던 장단군은 조선 예종조에 이르러 도호부로 승격되었다. 고을의 북반부는 마식령산맥이 황해도와의 도계道界를 이루고 수룡산, 대두산 같은 비교적 높은 산이 솟아 있다. 그 줄기가 군내로 뻗어내려 대체로 산악지대를 이루고 남동쪽으로 완만한 경사를 이룬다. 그들 산지 사이 곳곳에 분지가 발달되어 경작지로 이용되고 있다.

남반부에는 대체로 평야가 펼쳐져 있는데, 특히 임진강 유역의 농토가 비옥해 농사가 아주 잘 된다. 북서쪽 산악지대에서 발원하는 몇 개의 작은 내가 북쪽으로 흐르다가 예성강으로 흘러든다. 그리고 사미천, 사천 등을 비롯한 여러 작은 내들이 모두 남반부 쪽

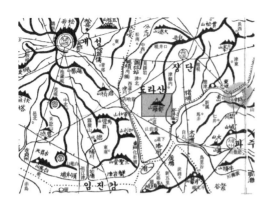

● 분명 우리 땅인데 마음대로 갈 수 없는 도라산은 경기도 장단군에 있다.

©《대동여지도》

으로 흘러내려 남쪽 군계를 흐르는 임진강에 몸을 맡긴다. 대체로 온화한 기후지만 내륙에 가까워 일교차가 심한 편이다.

이 고을에 있는 도라산에 관해서《신증동국여지승람》은 '임진 남쪽 25리에 있는 산이며 북쪽 천수산과 동쪽 파주 대산을 잇는 봉수가 있었'고 기록하고 있다. 임진을 중심으로 동으로 화장산, 서로 오관산, 남으로 도라산, 북으로 망해산이 빙 둘려 있고, 그 산세는 둥그렇고 완만하게 생겼다고도 덧붙여 적혀 있다.

둥그스름한 산에 '도라'라는 말이 붙은 산이나 봉우리는 전국 여러 곳에 있다. '도라산', '도래산', '도래미'가 대표적으로 충북 제천시 봉양읍 팔송리의 도래미(동산저), 제주도 제주시 애월읍 어도리의 도래미(어도오름), 경남 밀양시 무안면 가례리와 통영시 도산면 도선리에 각각 있는 도래산 등이 있다. 북한 땅 함남 단천의 '도라화산'도 봉우리가 둥그스름해서 붙은 이름이다.

○ ∧ □

그 관련 자료들을 분석해 보면 '도라'는 '돌다'에서 나온 말이라고 보고 있다. 이 말과 비슷한 형태로 '두루', '두리'가 있는데, 지리산의 다른 이름인 '두류산', 단천의 '도라화산(두류산)' 등이 이 계통의 이름이다.

신라 경순왕의 눈물과 낙랑공주의 암자

파주 도라산의 안내문에는 '도라산'이라는 지명이 낙랑공주와 통일신라의 마지막 임금 경순왕에 얽힌 설화와 관련이 있다고 적혀 있다. 나라를 잃은 경순왕이 늘 도라산에 올라가 경주 쪽을 바라보며 눈물짓는 모습을 보고, 낙랑공주가 '영수암'이라는 암자를 지어 곁에서 왕을 지켰다는 이야기이다. 이야기를 좀 더 자세하게 풀어 보면 이렇다.

서기 879년, 신라가 패망하자 고려 태조 왕건은 송도까지 찾아와 항복한 경순왕에게 자신의 딸인 낙랑공주를 아내로 맞이하게 했다. 낙랑공주는 나라를 잃은 경순왕의 우울한 마음을 달래 주고자 도라산 중턱에 암자를 짓고 그곳에 머물게 했다. 경순왕은 아침저녁으로 산에 올라 신라의 도읍지였던 경주를 그리워하며 눈물을 흘렸다. 그래서 신라의 도읍지를 의미하는 '도都'와 '신라'에서 따온 '라羅'를 합쳐 '도라산都羅山'이라는 이름이 생겨났다는 것이다.

그러나 이것은 '도라산'이라는 이름을 역사적 사실에 억지로

꿰맞춘 것에 불과하다. 아무래도 '도라산'이라는 이름은 '돌아
와 관계있다고 보이며, 이 이름은 '돌아가는 산머리'라는 뜻으로 붙은
것이라고 생각된다.

도라산 마루에는 조선시대 때 중요한 시설이었던 도라산 봉수
가 있다. 이 봉수는 서쪽의 개성 송악산 봉수와 동쪽의 파주 대산 봉
수를 이어 주며 국난 대처에 큰 몫을 했다. 도라산 봉수대에는 병사
들을 주둔시켰다. 지금 도라산 정상에는 전망대가 설치되어 있는데
인근의 제3땅굴, 판문점 등과 함께 대표적인 안보 관광지이다.

강나루에 붙어 있는 고을 임진

임진강 유역권인 도라산 근처는 들판이 꽤 넓고 큰 산이 별로
없다. 이것은 가급적 높은 곳에 설치해야 하는 봉수대를 그리 높지
않은 도라산 마루에 만든 사실만 보아도 알 수 있다. 도라산 인근은
한국전쟁 이전까지는 장단군에 속해 있던 곳으로, 이 지역 주민들
은 농업을 생업으로 삼아 왔다.

이 일대는 조선시대에 임진현臨津縣에 속했다. '임진현'은 한자
이름대로 뜻을 풀면 '강나루에 임해(붙어) 있는 고을'이다. 여기서 말
하는 나루는 말할 것도 없이 임진강 나루를 말한다. 나루라고는 하
지만 사실 그 자체가 '강'의 의미를 담고 있다. '하천'의 옛말은 '내림'
이라는 뜻을 지닌 '나리'인데, 이 말의 변형이 바로 '나르' 와 '나루'이

다. 지금의 '내'란 말도 '나리'가 '나이'를 거쳐 줄어든 것이다.

⏩ **하천의 옛말 '나리'에서 파생된 말**

나리('내림'이라는 뜻) 〉 나르 또는 나루

나리 〉 나이 〉 내

멀리 강원도 북쪽에서 흘러 들어오는 임진강은 하류 가까이에 이르러 한탄강을 아울러 물줄기의 굵기를 키우고, 남서쪽으로 흐르다가 서해 가까이에 이르러서는 한강에 합류한다.

임진현은 삼국시대에 임진성 또는 오사홀로 불리다가 경덕왕 때 임진현이 되었고, 고려를 거쳐 조선 세조 때 장단현에 병합되었다. 그 후 이 지역은 장단군 진남면과 진동면, 진서면이 되었다. 진남, 진동, 진서의 '진津'은 모두 임진현을 가리킨다. 다시 말하면, 지금의 파주시 장단면 일대가 모두 옛날 임진현 고을이다.

어울물, 물이 어우름

장단군 남쪽 교하 지역의 고구려 때 땅이름은 '천장구현泉井口縣' 또는 '어을매곶於乙買串'이다. 이 이름은 '물이 어우름(합함)'이라는 뜻을 지닌 '어울물'의 한자식 표기이다. 지금의 '교하交河'라는 이름의 바탕이 된 것이다.

　　장단면 일대에는 옛날 농촌 마을이 많았음을 보여 주는 마을
이름이 꽤 여러 곳이다. 이 일대에서 잘 알려진 마을은 장단면 강정
리 말안골, 거곡리 조랑개(조랑진, 조랑포), 노상리 가루개(갈현), 돗
개(석포), 돌고지(석곶), 구렁말(구룡), 찬물골(한수동), 정동리 갯말(진
촌) 등이다. 그 많던 마을들이 이제는 거의 보이지 않고, 역 근처의
황량한 벌판은 텅 비어 있다.

　　도라산역은 민통선 안에 있는 경의선 최북단 역으로 원래는
없었다. 서울에서 출발한 기차가 아직은 도라산역까지 달리지 못
하지만, 남한에서의 경의선 종착역인 도라산역은 나름대로 큰 의
미를 지닌다. 멀리 신의주 혹은 드넓은 시베리아 벌판까지 이어질
철의 실크로드를 위한 교통수단의 상징으로 확실하게 자리매김하
고 있기 때문이다. 지금은 아무리 기세 좋은 철마라 해도 돌아가는
도라산역이지만, 언젠가는 올 통일의 그날을 염원해 본다.

❯ 도라산역에서 열차
를 타고 북쪽으로
조금만 더 가면 북
녘땅이다.

• 친척말 •

돌(첫돌), 돌아오다, 피돌기(혈액순환)

• 친척 땅이름 •

돌머리, 돌머루, 돌곶, 돌고지石串, 돌물뿌리, 모롱이

군사요충지 둔지산,
산이나 언덕의 '둔'

_ 서울시 용산구 둔지산
_ 전북 완주군 대둔산
_ 전남 해남군 두륜산

∧ ○ □

#둔 #둠 #둔지미

우리나라 수도 서울 한복판에서 오랫동안 군사요충지 역할을 해 온 곳이 있다. 바로 둔지산이다. 둔지산은 용산구 이태원동과 용산동 일대에 솟은 야트막한 산을 말한다. 이 산은 일제강점기 때 일본군이 주둔하면서 '용산병영'으로 통해 왔다. 이제 둔지산이라는 이름보다는 '용산'이라는 이름으로 더 많이 알려져 있다. 그러나 '용산'이라는 산은 용산구의 북서쪽, 즉 용산구와 마포구의 경계에 있다.

이 산은 지금까지는 군 시설 때문에 일반인의 접근이 어려웠다. 접근이 어려웠던 만큼 일반인의 관심에서 멀어져 있었고 그 이름조차 잘 알려져 있지 않았다. 이 둔지산의 작은 골짜기에는 마을이 여러 곳 있었다. 그러나 19세기 말부터 외국군이 주둔하면서 마을들이 하나둘 사라지고 사람들의 왕래도 줄었다. 이 산 또한 서서히 우리 기억에서 사라져 갔다.

그런데 최근 이곳에 대통령의 집무실이 들어서면서 사람들의 관심을 다시 모으고 있다. 덕분에 우리 기억의 한 편에서 잠들어 있던 '둔지산'이라는 이름도 다시 소환되어 더욱 알려지게 되었다.

'둔'은 땅이름에서
'언덕'이나 '산'을 말한다

조선시대에 이 일대에 군량을 조달하기 위해 설치한 토지인 둔전屯田을 두어 '둔지산'이라는 이름이 나왔다고 한다. 하지만 '둔'은 땅이름에서 '언덕'이나 '산'을 말하므로 그것과는 관련이 없어 보인다. 이 산 일대에는 새말, 큰말(대촌), 정자말 등의 마을이 있었는데, 그 모든 마을들을 아울러 '둔지미'라고 불렀다. 일제강점기 때 군기지가 되면서 이곳 주민들은 근처 보광동과 서빙고 등으로 강제로 이주를 당했다.

둔지미가 공식적으로 '용산'으로 바뀐 것은 1906년이다. 당시 일본군이 둔지미 일대를 그린 지도가 있는데, 〈용산군용수용지명

❱ 일본군은 이 일대가 '둔지미'임을 알면서도 '용산'이라고 지도 제목에 넣었다.(〈용산군 용수용지명세도〉.)

© 용산학연구소 센터장 김천수 제공(원 출처: 일본 방위성 방위연구소)

세도)라는 이름의 이 지도에는 둔지산이 표시되어 있고 일본군도 이 일대 지명이 '둔지미'임을 알고 있었다. 그러나 일본군은 이 지도의 제목을 '용산'이라 붙였다. 이렇게 해서 450년 이상 사용한 '둔지미'라는 지명은 우리 입에서 멀어지게 된 것이다.

　용산구 둔지산 일대는 토질이 좋아 조선시대에 벽돌을 생산했다. 명동성당의 벽돌도 여기에서 생산된 것이다. 둔지산 남동쪽의 서빙고초등학교 근처에는 조선시대에 나라에서 사용하는 얼음을 저장하는 빙고가 있었다. 지금 서빙고니, 동빙고니 하는 이름은 서쪽과 동쪽의 얼음 창고라는 뜻이다. 그중 서빙고는 지금의 서빙고동 둔지산 기슭 한강가에 있었다.

　고려시대의 관습에 따라 조선 건국 초에 설치된 서빙고는 얼음의 채취·보존·출납을 관장하기 위해 설치된 관서이다. 여기에는 8개의 저장고가 있었고 많은 얼음이 저장되었는데 동빙고의 12배,

○ ∧ □

내빙고의 3배가 넘는 규모였다. 동빙고가 나라의 제사용 얼음을, 내빙고가 궁중 전용 얼음을 저장했다면, 서빙고는 궁중, 문무백관과 환자나 죄수들에게 나누어 줄 얼음을 보관했다.

얼음은 한강이 두껍게 어는 12월(양력 1월)부터 저장했고, 이듬해 3월부터 빙고를 열어 반출하기 시작했다. 얼음을 저장하고 반출할 때는 먼저 추위를 관장한다는 사한(司寒)에게 제사 의식을 치렀다. 현재 둔지산 남쪽의 완만한 평지에는 국립중앙박물관과 용산가족공원이 있고, 북쪽 비탈 아래로는 전쟁기념관이 있다.

19세기 후반부터 군사적인 요충지

전국에는 '둔지미(둔지산)'라는 이름이 많은데, 이 이름은 거의 산이나 언덕과 관련이 있다. 대개 외따로 떨어진 산, 둥그스름한 모양의 산들이 이런 이름을 지니고 있다. '둔지'는 '둔-둠-덤-담' 계열의 땅이름으로 산지에 많이 분포한다.

둔지미가 군사적으로 중대한 의미를 갖게 된 것은 19세기 후반부터였다. 그 이전까지는 둔지미 일대가 거의 훼손되지 않았다. 그러다가 1882년 임오군란 때 청나라군이 둔지미에 주둔하면서 이 일대가 변화하기 시작했다. 일본군이 1894년 동학농민운동을 빌미로 조선에 들어와 용산의 효창원(지금의 효창공원), 만리창과 둔지미 일대에 주둔하며 청나라군과의 전쟁을 준비했다.

조선이 1394년 한양으로 천도하고 이듬해 '한성부'로 개칭한 뒤 서울에 중·동·남·서·북부 등 오부五部를 설치했다. 오부 체제는 조선시대 내내 유지되었다. 오부는 지금의 구區와 비슷한 행정구역상의 단위이다.

《세종실록지리지》에는 '둔지미'에 대한 기록이 나온다. 이 문헌은 1454년 완성된 것인데, '경도 한성부' 편에 이 둔지산에 노인성단, 원단, 영성단, 풍운뇌우단이 모두 숭례문 밖 둔지산에 있다고 적혀 있다.

'둔지방'은 둔지산을 중심으로 한 조선의 행정구역이었다. 18세기부터 서울 각 부部 밑으로 방坊을 두었다. 한성부의 행정구역이 5부 52방으로 나뉘어졌을 때 현재의 용산 미군기지 일대는 둔지방이라는 행정구역에 속했다.

일제강점기가 시작된 1910년대부터 각 지역의 훼손이 본격화

되었는데, 서울에서는 특히 용산과 둔지산을 중심으로 한 지역의
오염이 심했다. 일제가 군기지를 설치하면서 둔지산 일대는 망가
질 대로 망가졌다.

둔지미계에는 큰말과 제단안말(단내촌), 정자골, 새말(신촌) 등
의 마을이 있었다. 이들 4개 마을에는 3~4백 가구 정도가 있었던
것으로 추정된다. '새로 이루어졌다'는 새말은 현재 미군의 드래곤
힐 호텔 자리에 있었다. 정자골은 국방부 남쪽에 있었고 제단안말
은 현 국립중앙박물관 자리에, 큰말은 박물관 바로 위 둔지산 아래
에 있었다. 안말, 큰말, 새말, 정자골 등의 토박이 땅이름은 모두 한
자식 이름인 '~동涧' 형태의 이름으로 바뀌어 버렸다.

'둔지산'이라는 이름은 어떻게 나왔을까? 그 배경을 대부분의 자료에서는 '둔전'과 연결시켜 설명하고 있다. 그러나 방향을 달리 생각해 볼 필요가 있다.

'둔(둠)'이라는 지명을 '도막(돔악)', '뜸', '둥지', '덩이(덩어리)', '더미(덤+이)', '덩치', '둥글다', '덩그렇다' 같은 말과 연관시켜 보자. 이 말들을 서로 비교하고 그 뜻을 새겨 보면 서로 통하는 점을 발견할 수 있다. 토박이 땅이름을 살펴보면 이와 연관되었음 직한 것이 많다. 돌로 쌓은 울타리인 '담'도 '돔', '둠' 같은 말과 연관된다. '둠', '듬'은 또 '뜸'이 되어 '사이'의 뜻으로 확장된다.

쁨이 이십리 싸히 이시니離

_《박통사신역언해》(1권, 13)

각里애서 쁨이 언메나 머뇨離閣有多少近遠

_《노걸대언해》(상, 43)

한라산을 '두무악頭無岳' 또는 '원산圓山'이라고도 했는데, 이는 산봉우리가 둥글어 나온 이름일 것이다. '둠'은 '두르다'의 명사형 '두름'이 줄어든 말이기도 해서 '둘레', '두름(물고기 엮음)', '들러리',

'돌리다', '두르다(구르다)', '도로反, 復', '도리어' 등의 말들과도 서로 먼 친족 관계를 이룬 것으로 보인다.

여기서 산지에 많은 땅이름인 '동막東幕'에 대해서도 이야기하자면 동막의 '동'은 '둠'을 한자로 음차한 경우라고 할 수 있다. '둠막(돔막)'이 발음 변화를 일으킨 것이라고 보기도 한다. '산'을 뜻하는 '둠'과 '마을'을 뜻하는 '막'이 합쳐진 말이라고 보는 것이다. 그러니까 '동막'은 산속 마을이거나 산 아래 마을, 즉 '산촌'과 같다고 본다. 전국에 '동막'은 많지만 이의 상대적 지명인 '서막', '남막' 등의 이름이 별로 없는 것으로 보아, 여기서의 '동'이 동쪽을 가리키는 것이 아님을 알 수 있다.

'둔지'는 과연 어떤 뜻일까?

둔지산은 여러 한자로 표기되어 왔는데, 음역 과정에서 차음했을 것이라는 추측이 가능하다. '둔지'는 '둠지'의 변음일 수 있고, '둔지미'의 '미'는 '산'을 뜻하니 이를 음·의역해 '둔지산'이 되었다고 보는 것이다. 산이나 높은 곳은 '말(마루)', '몰', '달(돌)', '뫼(메, 미)', '술(수리)', '부리(비로)', '둠(둔)' 등으로 불렸다.

둔지산이 토박이 땅이름이라면 '둔지'는 과연 어떤 뜻일까? '둔-둠-덤-담' 계열의 땅이름으로 본다면 이는 단순히 '산'과 연계해 생각해 볼 수 있다. 이런 계열의 지명은 산지 일대에 많이 분포

한다. '둔지(둠지)'라는 이름은 모나지 않은 둥그스름한 산이나 따로 떨어져 있는 산에 많다.

대전시 서구와 대구시 동구에 있는 둔산동屯山洞은 토박이 땅이름인 '둔지미'가 그 바탕인데, 이처럼 '둔지'라는 이름을 가진 곳이 너무도 많다. 이것은 '둔지'가 일반 용어처럼 쓰여 왔음을 말해 주기도 한다.

'둔지미'란 이름은 충남 천안, 예산, 충북 충주, 경기도 이천, 포천, 강원도 춘천, 강릉, 홍천, 삼척, 평창, 전남 영광 등에 있으며 대부분 산간 지역이다. '둔지미' 외에도 '둔지골', '둔지말', '둔지실' 등 '둔지'라는 이름을 단 땅이름은 여러 가지다.

제주도 제주시에 있는 둔지봉은 '둔지오름'이라고도 하는데, '둔지를 오른다'는 뜻이니 그곳이 높은 지역임을 단적으로 말해 주고 있다. 전남 목포시 산정동에 있는 '둔지머리'도 그 이름만으로 높은 곳임을 알 수 있다. 전라도에서는 '이' 모음의 사투리가 발달했는데, 이 때문에 전남 영광군 군서면 가사리의 둔지산과 그 골짜기 마을을 '된지미'라고 부르고 있다.

여기서 '둔'을 단순히 그 음절에만 머물러 생각해서는 안 된다. 특히 '둔屯'이라는 한자 뜻에 생각의 중심을 두어서는 안 된다. 이 한자에 얽매어 생각하는 사람들이 대부분 '둔전屯田'과 관련지어 설명하는데, 확실한 근거 없이 그렇게 해석하는 것은 옳지 않다.

그렇다면 어떤 방향으로 그 원뜻에 접근해야 할까? '둔'의 친척말에 어떤 것이 있을까를 생각해 보는 것도 좋을 것이다. 그런 이름이 들어간 곳의 지형도 생각해 볼 만하다. 필자의 경험으로 보면 '둔'과 그 친척말인 '둠', '동' 등은 산간에 많다.

• 친척말 •

둥금, 동그라미, 둥우리, 덩어리, 덤, 덩치

• 친척 땅이름 •

둔지미, 둔지屯地, 둠바위, 둔말, 듬실, 두무실斗舞室

물의 마을, 물가의 마을, 문막

_강원도 원주시 문막

_서울시 도봉구 도봉동 무수골

∧ ○ □

#물 #못 #무수 #뭇막 #매 #미 #무

모래톱 사금파리

오르막 언저리엔

함지찬 꿈이 가득

해담솔 푸르러라

금진놀 은진별은

하늘품 기리우고

목놓은 해오라기

사랑가 부르누나

_임삼, 〈섬강〉

○ ∧ □

‘원주는 몰라도 문막은 안다’고 할 만큼 문막에는 드넓은 문막 평야가 있고 여기에 섬강 물길이 지난다. "치악이 어드메요 섬강이 여기로다" 하는 송강 정철의 《관동별곡》에 나오는 그 섬강이 이 문막을 지난다. 그래서 문막은 섬강과 떨어져 따로 말할 수 없다.

강원도가 고향이라는 어느 시인은 〈섬강〉과 함께 자신의 고향 문막을 잊지 못해 다음과 같은 글을 남겼다. 문막. 그 이름은 어떻게 해서 생겨난 것일까?

나는 강원도 감자바우다. ……(중략)…… 지금도 문막읍사무소 부근에 가면 '문막8경 바위'가 있다. 문막을 대표하는 8군데의 비경을 안내하는 표지석인데, 섬강과 더불어 문막의 명소로 손꼽히는 곳이다. ……(중략)…… 고향은 '나의 과거가 있는 곳'이며, '정이 든 곳'이며, '일정한 형태로 내게 형성된 하나의 세계'이다. 고향은 '공간'이며 '시간'이며 마음, 즉 '인간'이라는 세 요소가 불가분의 관계로 굳어진 복합된 심성이다. 고향은 출생지로서 '삶터'가 되고, 타향이나 객지가 아니기에 '본향'이다. 또한 고향은 '사람' 외에 '산천'이라는 자연도 포함이 되기에 '고향산천'이라고 한다.

_ 네이버 블로그 '뚜벅이의 인문학 여행'

'물'의 옛말인 '뭇'이 바탕이 된 이름들

'문막'이라는 지명에 대한 이야기를 하려면 '물'이라는 말을 먼저 알아보아야 한다. 인간은 물 없이 사흘 이상 살 수 없다. 물이 그만큼 중요해서인지 우리는 일상생활에서 '물'이라는 말을 엄청 많이 쓴다. 그런데 옛날에도 물을 '물'이라고 불렀을까? 물론 옛날에도 그렇게 부르긴 했다. 그러나 아주 오랜 옛날로 거슬러 올라가 보면 '물'이라는 말이 지금의 발음과는 좀 차이가 있음을 알게 된다.

우리말의 변화 과정을 보면 지금의 '물', '풀', '돌'처럼 열린소리(개음절)로 발음하는 말이, 예전에는 대체로 '뭇', '풋', '돗'처럼 닫힌소리(폐음절)'로 발음하는 경우가 많았다. 이제 '물'의 옛말과 그 옛말이 땅이름으로 남아 있는 곳을 한번 보자.

'물'과 관련된 땅이름은 무척 많다. 그래서 '물' 자가 들어간 땅

❶ 강원도 원주의 문막은 '물의 마을'이라는 뜻인 '무수막(뭇막)'이 원이름이다.

이름이나 이의 옛말인 '뭇', '무시', '무수' 등이 들어간 땅이름들 또한 많다. 전국에 많이 보이는 '물골', '물말', '무수막', '무시막', '무쇠막', '뭇막', '무너미' 등이 그런 이름들이다.

물말이나 물골은 한자로 대개 '수촌水村'이나 '수곡水谷'이 되었다. '무수막', '무시막', '무쇠막', '뭇막' 등의 이름은 '물'의 옛말인 '뭇'이 바탕이 된 이름이다. 그러므로 원주의 문막은 원래 '뭇막', '무수막(뭇으막)'으로 불리다가 지금의 이름이 되었다. 이것은 '물의 마을', '물가의 마을'이란 뜻을 갖고 있다.

◉ '뭇'에서 '무수막'으로 변화
뭇(물)+(의)+막(마을) > 뭇으막 > 무스막 > 무수막(뭇막, 문막)

어떤 곳에서는 섬강을 건너는 사람을 위해 막을 치고 '물막'이라고 했다고 주장하는데, 이는 원래 이름이 '물막'이 아닌 '뭇막(무스막)'임을 모르고 하는 말이다.

'매', '미', '무' 등은 모두 '물'을 나타낸다

경기도 수원의 옛 이름은 '매홀買忽'이다. 인천의 옛 이름은 '매소홀買召忽' 또는 '미추홀彌鄒忽'이다. 그리고 광주광역시의 옛 이름은 '무진주武珍州' 또는 '무주武州'이다. 이들 이름에서의 '매', '미', '무' 등은 모두 '물'의 옛말이다. 즉, '매홀', '미추홀' 등은 '물골'을 뜻하는 것이다. 이들 지명에서의 '홀'은 고구려시대의 말로 '골'을 표기한 것이고 '고을'을 가리킨다. '미나리', '미숫가루' 등을 보면 물의 옛말이 '미'이기도 했음을 알 수 있다.

◐ '물'이 '미'로 쓰인 낱말들

미나리(물+나리)

미장이泥水匠

미숫가루

◐ '물'이 '무로 쓰인 낱말들

무자리(수척水尺): 물높이자

무자위: 물을 높은 곳으로 퍼 올리는 기계

무삼(수삼水蔘): 캐내어서 아직 말리지 않은 인삼

무소(수우水牛): 솟과에 속한, 물에 사는 동물을 통틀어 이르는 말

무살미: '물꼬'의 옛말

무삶이: 논에 물을 대어 써레질을 하고 나래로 고르는 일

무넘기(무넘이, 무너미, 무네미): 논에 물이 알맞게 고이고 남은 물이

빠져나가도록 만든 둑

'물나리'를 '미나리'라고 하고, '물장이'를 '미장이'라 부르는 것
도 이와 같은 현상에서 비롯된 것이다. 기원적으로 볼 때 중세어
'믈'은 '므리'의 어형으로 다시 구성해 볼 수 있다. '므리'는 그 말이
놓이는 위치나 여건에 따라 어형 변화를 거쳤을 것이다.

❯ 므리水

수식어로 쓰일 경우: 므리 > 매 / 모 / 미

피수식어로 쓰일 경우: 므리 > 믈 > 물

❯ 고지명에서 '매買'의 대응 표기

이지매伊珍買 (경기도 이천시)

내을매內乙買 (강원도 양구 일부)

살매薩買 (평북 청천강)

생지매省知買 (경기도 여주시 일부)

어을매於乙買 (경기도 파주시 교하동)

'물의 마을'이란 뜻의 '무수막(무시막)'은 '무쇠막(무쇠골, 무쇠울)'
이 된 후에 한자의 '철鐵' 자를 취한 것이 많다. '수철리水鐵里'란 지명
이 그 예인데, 이들의 대부분은 '철鐵'과는 아무 관계가 없다. '무수
막'의 '무수'가 '무쇠鐵'로 전음되어 나온 현상이므로 이를 한자 뜻

그대로 풀이하면 안 된다. 앞 음절로 '수水'를 붙인 것은 '무수'가 '물'임을 나타낸 것이다.

'물(뭇)의 골짜기'란 뜻의 '무수골'

강가 이름에 '무쇠울'이 많은 데는 다 이유가 있다. '물'의 뜻인 '뭇'이 이음홀소리 '으(우)'나 '애'와 이어져 '무수', '무새'로 변했다가 '무쇠'로 변화된 것이 많기 때문이다.

> ● '뭇'이 '무쇠울', '무쇠말'이 되기까지
>
> 뭇(물)＋울 > 뭇(애)울(무새울) > 무쇠울
> 뭇(물)＋말 > 뭇(애)말(무새말) > 무쇠말

이런 이름들은 대개 '무쇠'와 관련지어 풀이하는 사람들이 많으나 대개는 무쇠와는 아무런 관계가 없다. 심지어 무쇠로 다리를 놓아 무쇠다리가 되었다고도 하는데 이것이 가능한 이야기일까?

'물의 마을'이란 뜻의 '뭇으골(무수골)'을 그 지역에 무쇠가 많이 나서 '무쇠골'이라고 소개하는 곳들이 있다. 충남 예산군 예산읍 수철리, 전남 화순군 청풍면 세청리, 경북 경주시 건천읍 송선리 등을 꼽을 수 있다.

무수골은 서울에도 있다. 서울 도봉구 도봉동 북한산의 한 골

❯ 도봉구의 무수골은 '물(뭇)의 골짜기'라 는 뜻이다.

짜기에 냇줄기가 뻗어 있고, 그 내가 있는 긴 골짜기 이름이 '무수 골'이다. 이 무수골을 한자로 풀이하여 여러 가지 엉뚱한 설명을 하 기도 하지만, '물(뭇)의 골짜기'란 뜻 외에 다른 뜻은 없다. 이곳은 서울 중심에서도 그리 멀지 않아 여름철이면 사람들로 붐빈다. 사 람들이 무수히 오가니 훗날 이곳에서는 또 새로운 땅이름도 생겨 날 것이다. 이왕이면 알기 쉽고 재미있는 우리말 땅이름들이 골짜 기 물처럼 새록새록 생겨났으면 좋겠다.

• 친척말 •

무지개, 무더위, 무논, 무자위, 미나리, 미숫가루, 미장이

• 친척 땅이름 •

무넘기, 무너미, 무네미, 물넘이, 수유촌, 못가, 못골, 수동, 못두리, 무두리,

밋골, 무숫골, 무쇠골, 무쇠막, 무수막, 수철리水鐵里

'으뜸'의 뜻인
'마리'로 불러 달라, 마리산

_ 인천시 강화군 강화도 마리산
_ 서울시 광화문 황토마루

∧ ○ □

#으뜸 #마루 #마리 #마로

한반도의 중심에 위치한 강화도의 마리산 꼭대기에는 돌로 쌓은 참성단이 있다. 단의 높이는 3미터 정도이며, 위로는 모지고 아래는 둥글다. 모진 것은 땅, 둥근 것은 하늘을 나타낸다. 《세종실록지리지》에는 참성단에 대해 "조선 단군이 하늘에 제사 지내던 석단"이라는 기록이 나온다. 참성단이 있어서 그런지 강화도에는 단군에 관한 유적들이 많다. 삼국시대 이전부터 참성단에서 하늘에 제사를 지냈다고 한다.

흔히 높은 산을 '마루산'이라고 하지만, 중요도가 높아도 '마루

산'이라고 한다. 예로부터 매우 중요하게 여겨 온 산이기에 '으뜸'
이라는 뜻의 '마루산'인 것이다. 다른 이름으로는 '마리산(머리산)'이
있다. 마리산은 말한다. 꼭 제대로 된 이름을 찾아 달라고. '으뜸'의
뜻인 '마루'나 '마리'로 불러 달라고.

민족의 성지로 여겨 온 마리산

　한국의 다른 명산과 비교해 조금도 뒤떨어지지 않는 절경을
지닌 마리산은 백두산과 한라산의 한가운데에 있고, 계절마다 다
른 옷을 입으며 선경仙境 중의 선경을 자랑한다.
　마리산이 있는 강화도 화도읍은 본도와 떨어져 있는 섬이었
다. 그러다가 조선 숙종 때 간척 사업을 펼쳐 강화 본도와 연결해

❷ 마리산 산마루에 오
르면 서해가 발아래
에 훤히 펼쳐진다.

ⓒ 한국저작권위원회, 박
정병, 마니산_초봄_00
019

○ ∧ □

놓았다. 원래 강화도 남쪽에 위치한다 하여 '하도면下道面'이라 했는데, 일제강점기 때인 1937년 음이 비슷한 '화華' 자를 써서 '화도읍'이라고 부르게 되었다.

마리산 산마루에 오르면 서해가 발아래에 훤히 펼쳐지고, 낙타 등처럼 뻗은 남동쪽 암릉 위로 전망이 확 틔어 있다. 정상의 북동쪽 약 5킬로미터 지점의 정족산에는 단군의 세 아들 부소, 부우, 부여가 쌓았다는 설화가 담긴 삼랑성三郞城이 있다. 삼랑성은 《조선왕조실록》을 보관하던 정족서고와 천년의 사찰인 전등사를 품고 있는 산성이다. 언제 축조되었는지는 알 수 없지만, 단군의 세 아들이 만들었다는 설이 있는 것을 보면 무척 오래된 산성임을 알 수 있다.

다시 마리산에 대한 설명으로 돌아와 보자. 465미터 길이의 돌담 안에 있는 마리산 참성단은 축조 연대가 언제인지 확실한 기록은 없지만, 약 4천 년 전 단군왕검이 하늘에 제사를 지내기 위해 축조한 것으로 추정된다. 이 제단에서 제사를 지냈다는 기록은 여러 문헌에 나온다. 참성단은 고려 원종 11년(1270), 조선 인조 17년(1639), 숙종 26년(1700) 등에 보수 또는 수축했다는 기록이 나온다. 돌로 단단하게 만들어져 있어 오늘날까지 원형 그대로 보존되어 있다.

오랜 세월 동안 민족의 성지로 여겨져 온 마리산. 고구려와 백제, 신라는 마리산이 각각 자기 나라의 영토에 속했을 때, 이 산에 올라 국가의 번영과 안녕을 위해 정성을 다해 제사를 지냈다.

마리산은 고려와 조선시대를 거쳐 꾸준히 민족의 제단으로 사용해 왔다. 광복 후에도 해마다 개천절이 되면 제를 지냈고, 1953년 이후부터는 전국 체육대회 때마다 이곳에서 성화를 점화해 왔다. 성화 점화는 강화군에서 엄선해 뽑은 칠선녀가 태양열을 화경으로 발화하거나 흐린 날에는 조상들이 사용하던 부싯돌로 불을 붙여 이루어지고 있다.

참성단 북서쪽 바다 건너에는 보문사로 유명한 석모도席毛島가 있는데, 토박이 땅이름으로는 '돌모루섬'이다. 참성단 근처에는 조선 초기에 함허대사가 수도했던 함허동천과 참성단 중수비가 있다. 거기에는 다음의 내용이 한문으로 적혀 있다. 현대 말로 풀어보면 다음과 같다.

우리나라 수천 리 땅에 강화는 나라의 방패, 그런 강화 중에서도 마리산은 천신에게 제사를 드리던 명산, 서쪽 제일 높은 곳에 돌을 쌓아 단을 만들었으니 이름하여 참성단이다.

_참성단 중수비 현대 말 풀이

강화도 사람들은 참성단이 있는 산을 '마니산'이 아닌 '마리산'이라고 부른다. 다른 지역 사람들이 '마니산'이 어디냐고 물어보면

○ ∧ □

그런 산은 없다고 말할 정도였다. 물론 요즘에는 달라졌지만, 아직도 '마니산'이란 이름을 낯설게 여기는 강화도 토박이들이 많다.

강화도에 가면 지금도 마리산기도원, 마리산휴게소 같은 간판을 종종 볼 수 있다. 그런데 외지 사람들은 이 산을 '마니산'이라 부른다. '마리산'을 '마니산'이라고 부르게 된 데는 이 산의 한자 표기 영향이 크다. 즉, 한자로 '마니산摩尼山'이라고 하는 것이 문제다. 여기서의 한자 '니尼'는 '니'뿐만 아니라 '리'로도 읽을 수 있다.

마리산은 옛 문헌에 한자로 '두산頭山', '종산宗山'으로 표기되어 있다. 두산의 '두頭'나 종산의 '종宗'을 통해서 '으뜸'의 뜻임을 알 수 있으니 '마리(머리)'와 통하는 이름이다. 한자 '마니摩尼'는 '마니'가 아닌 '마리'의 음차이다.

충북 영동군 양산면, 심천면과 옥천군, 이원면 경계에도 해발 640미터의 마리산摩尼山이 있다. 이 지역 사람들은 이 산을 그대로

'마리산'이라 부르고, 더러는 '마리봉성' 또는 '마리성'이라고 부른
다. 이 산에는 둘레 약 140미터, 높이 약 1.5미터의 돌로 쌓은 성이
있다. 이 성은 고려 공민왕의 왕비 노국대장 공주가 피란했던 곳이
라고 한다. 경남 거창군에는 '마리면摩利面'이 있는데, 옛 안의군 지
역이었던 이곳 서쪽의 신라 때 이름인 '마리현摩利縣'에 근거한 것이
다. 북한의 함북 부령군 부령면에도 '마리동摩里洞'이란 행정지명이
있다.

　　마리산이 원래 이름임을 입증할 수 있는 많은 문헌이 있다.
《고려사》(권56) 〈지리지〉 '강화현조'에도 '마리산'이라는 글자가 분
명 들어가 있다.

　　有摩利山 在府南 山頂有塹星壇 也傳 檀君祭天壇(남쪽에 마리산이 있
고, 산꼭대기에 참성단이 있는데, 단군이 하늘에 제를 드리던 곳이라 전해
온다).

　　조선시대의《세종실록》,《규원사화》등에도 '마리산摩利山'이라
고 기록되어 있다.《인조실록》에서는 다음과 같은 기록을 찾아볼
수 있다.

　　1628년(인조 6) 강화의 마리산摩利山에 새로 사고를 설치하여

묘향산 사고의 전주본을 옮겼다가, 1660년(현종 1) 강화 남쪽의 정족산鼎足山에 사고를 마련하여 마리산 사고의 전주본을 비장했다.

그 밖에 다른 문헌에는 '머리산', '마루산'이란 이름을 한자로 옮긴 '두산頭山', '두악頭嶽', '종산宗山'이란 이름으로 실려 있다.

마리산 제천단祭天壇에

돌 한 덩이 올리고서

꿇어 엎드려 절하며

비온 말씀

내 백성 잘살게 하옵소서

이 소원을 들으소서

······(중략)······

지금 한자로 쓰는 이 '마니산摩尼山'이라는 것이 조금도 틀림없이 한국말의 '마리산'을 음역音譯한 것이라 함은 학자들의 정론이매, 내가 여기서 새삼스러이 말할 것은 없거니와, '마리'는 즉 '머리'이니 고서古書에 '머리'를 '마리'로 적은 것은 너무도 그 예가 허다한 바, 이 '마리산'이란 말은 필경 가장 높은 산, 거룩한 산, 즉 '신산神山',

'성악^{聖嶽}'이란 의미입니다.

_노산 이은상,《마리산 고천^{告天}》

'마리산'이 '마니산'으로 불리게 된 데는 일제의 계략도 한몫했다. 일제는 이 산이 '으뜸산'의 뜻인 '마리산'으로 불리는 것이 못마땅했던지 '두산^{頭山}', '종산^{宗山}', '마리산^{摩利山}', '마니산^{摩尼山}' 등으로 표기된 여러 이름 중 '마니산^{摩尼山}'을 택해 일본어로 '마리상'이라고 적고는, 이 이름으로 정착시켰다. 일제강점기 때 제작된 지도를 보면 마리산이 일본 글자로 '마리상^{マリサン}'이라고 표기되어 있다. '마니'가 아닌 '마리'로 읽어야 한다고 명확히 해 둔 것이다. 광복 후에 우리는 '마리산'이란 이름을 지우고 '마니산'이라고 불렀으며, 이를 잘 알지 못하는 교육자들에게 계속 그렇게 배워 왔다.

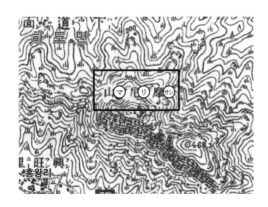

❯ 마리산 일대의 일제 강점기 때 지도에는 '摩尼山'이라는 한자 지명 옆에 '마리상^{マ リサン}'이라고 표기되어 있다.

○ ∧ ▢

신라의 왕호는 거서간, 차차웅, 이사금, 마립간, 왕의 순서로 변천해 왔다. 이러한 왕호는 신라 사회에서 '군장'을 일컫던 순우리말을 훗날 한자로 옮긴 것이다. '이사금'이라는 왕호 이후에 쓰이던 '마립간(마리한)'은 '대수장大首長'이라는 정치적 의미를 지니는 호칭으로 왕권의 성장을 나타낸다. 마립간은 '으뜸'이라는 뜻을 지닌다.

⊘ '마리'에서 '마립간'이 파생

마리(마루)+간 〉마리간 〉마릿간 〉마립간

우리가 일상에서 종종 쓰는 '툇마루', '안방마루'의 '마루'도 신라 때 높은 곳에서 나라를 다스렸다는 것에서 유래한 말이다. 또 지방 사투리인 '마룻소(아주 큰 소)'의 '마루'도 '믈'에 뿌리를 둔다.

자신의 부인을 허물없이 일컬을 때 쓰는 '마누라'는 원래 오랜 옛날에 노비가 상전을 부를 때 쓰던 말인 'ᄆᆞᄅᆞ하'가 변한 말이다. 궁중에서 '상감 마노라', '곤전 마노라' 하는 식으로 임금이나 왕비를 매우 높여 부르곤 했다. 'ᄆᆞᄅᆞ하'에서 '하'는 '선혈하(선열이시여)'라는 식의 높임부름토(존칭 호격조사)이다.

'마'나 '말(마로)'의 뿌리말은 '맏'이다. '맏'은 '말'로 변하고, 그 뒤에 따라오는 모음절과 연음되면서 많은 친척말을 이루었다. 즉 '마리'와 '마루'의 뿌리말은 '맏'이며 이 말은 '으뜸', '위', '첫 번째', '앞'

등의 뜻을 지닌다.

우리 머리에도 '위'라는 뜻으로 붙여진 부위가 있다. 이마나 가르마처럼 '마'가 들어간 것이 그것이다. 즉, 이마의 '이'는 '앞', '마'는 '머리'를 가리키는데 '머리의 앞'이라는 뜻이다. 가르마는 이마에서 정수리까지의 머리카락을 양쪽으로 갈랐을 때 생기는 금을 말한다.

고전 문학작품의 주인공 죽지랑,
'죽지'의 우리말은 '대마로'

여기서 사모의 마음을 담은 고전시가 한 편을 살펴보자. 신라 시대에 지어진 향가로, 화랑 죽지랑의 낭도였던 득오가 죽지랑에 대한 그리움을 노래한 작품이다.

간 봄 그리워함에
계시지 못해 울면서 시름하는데
두덩을 밝히오신 모습이
해가 갈수록 헐어가도다.
눈 돌림 없이 저를
만나보기 어찌 이루리.
낭(郎)이여, 그릴 마음의 모습이 가늘 길

○ ∧ □

다북쑥 구렁에서 잘 밤인들 있으리.

_〈모죽지랑가〉

위 작품의 죽지랑에 대한 일화가《삼국유사》'효소왕대' 조에 실려 있는데, 그중 하나를 소개해 보겠다.

신라 초, 술종述宗이라는 행정관이 삭주도독사(신라 초기 9주 5소 경 중 주를 다스리는 책임자)가 되어 임명지로 가게 되었다. 때마침 삼 한에 병란이 일어나 그는 기병 3천 명의 호송을 받으며 죽지령(지 금의 죽령)을 넘었다. 험준한 고개에 이르니, 한 거사가 고갯길을 닦 고 있어서 술종이 그것을 보고 칭찬했다. 그 거사도 술종의 혁혁함 을 좋게 여겼다. 두 사람은 서로 마음이 통해 친한 사이가 되었다.

술종이 임명지에 도착한 지 한 달쯤 되던 날 밤, 꿈에 죽지령에 서 만난 거사가 방으로 들어오는 것을 보았다. 이상하게 그의 아내 도 같은 꿈을 꾸었다. 술종은 거사에게 무슨 일이 있음을 직감하고 사람을 보내 알아보았더니, 거사는 그와 아내가 같은 꿈을 꾼 날 세 상을 떠났던 것이다.

술종은 죽지령 고갯마루에서 거사의 장례를 지내고 돌미륵을 세웠다. 술종의 아내는 그날부터 태기가 있어 열 달 후에 아들을 낳 았다. 술종은 그 아기가 거사가 환생한 것이라 생각하고, 거사를 만 났던 '죽지령'의 지명을 따서 아기 이름을 '죽지竹旨'라고 지었다.

죽지는 자라서 화랑이 되고 벼슬에 나아가 김유신 지휘 아래 의 부원수가 되어 삼한을 통일하는 데 큰 공을 세웠다. 그뿐 아니라

진덕왕에서 신문왕에 이르는 4대에 걸쳐 재상을 지내며 나라를 안정시켰다. 아이 이름을 한자로 '죽지'라고 했지만, 이 이름은 사실 우리말을 한자로 표기한 것이다. '죽지'를 우리말로 유추해 보면 '대마로'이다. 이 이야기에 나오는 술종, 죽지령, 죽지(랑) 등의 한자 종宗, 지旨 등은 모두 '마로'를 의역해 표기한 이름이다.

'마루'는 '도드라진 곳', '불쑥 내민 곳'

말무덤, 말티고개(마치馬峙), 말머리馬頭, 마재馬峴처럼 '말 마馬' 자가 들어간 경우에도 '꼭대기'나 '크다'는 뜻의 '마루'를 바탕으로 한 것이 많다. '물'은 '머리', '마루', '마리', '뫼' 등의 말을 낳았으나 땅이름에서는 주로 '말', '마루'가 쓰였다. '마루'는 '도드라진 곳', '불쑥 내민 곳'을 뜻하여 '용마루', '지붕마루', '콧마루' 같은 말도 자연스럽게 쓰였다. 또한 땅 모양이 그런 곳에도 자연스럽게 붙어 '영마루', '등마루' 등으로 쓰였다.

서울의 용산과 마포를 잇는 간선도로가 처음 개설되었을 때, 용산과 마포의 첫 글자를 따서 '용마로龍麻路'라고 이름 지었다. 이 길에 있는 큰 고개가 '용마루'로 불리기 시작하더니, 이제는 거의 모두 그 이름으로 통하고 '꼭대기'란 뜻으로 이해하게 되었다.

서울 광화문 바로 앞에서 서울역 사거리에 이르는 길이 세종대로이다. 전에는 광화문 바로 앞에서 세종로 네거리까지를 '세종로'라 했고, 그 남쪽부터 남대문까지는 '태평로', 남대문에서 서울역까지는 '남대문로'라 했다. 그런데 새 주소로 바꿀 때 이 길을 모두 아울러 '세종대로(길이 2.1킬로미터)'라 했다. 광화문과 세종로 네거리 사이의 넓은 길은 일제강점기 때 '광화문통光化門通'이라고 했다.

광화문 네거리 바로 남쪽이면서 지금의 덕수궁 북쪽 언덕, 즉 조선일보사 사옥 뒤편으로는 누런 흙빛의 등성이가 있었고 여기를 '황토마루(황토현)'라 했다. 이곳의 서쪽 마을을 '동령골(동령동)'이라 했고, 이는 황토가 구릿빛이어서 붙은 이름이다.

자하문 터널 앞쪽에서 흘러오는 청계천도 이 황토마루 때문에 물줄기의 방향이 바뀌었다. 북악산과 청운동 골짜기에서부터 흘러 내리는 청계천은 남쪽으로 계속 흘러내리다가 이 황토마루를 만나 동쪽으로 방향으로 돌려 동대문 남쪽으로 빠져나간다. 다시 말해서, 황토마루 언덕은 청계천의 남행을 동행으로 바꾸어 놓았다.

황토마루 북쪽, 지금의 세종로는 조선이 건국된 후 양쪽으로 들어서 큰 관청들로 인해 한성의 심장부가 되었다 경복궁 정문인 광화문 남쪽 양편으로 의정부, 육조, 중추원, 사헌부, 한성부 등의 관아 건물들이 있어 이를 '육조거리'라 했다.

황토마루의 '마루'는 어떤 뜻일까? 분명 '마로'의 친척말이겠지만, 여기서는 단순히 등성이의 의미를 지녔을 것이다. '마루턱'이란 말도 있는데, 이는 '등성이의 가장 위쪽'을 가리킨다. '마로', '마루', '마리'는 모두 '말'의 연철형이며 '맏(몯)'이 그 뿌리이다. 그리고 이 말은 '마리(머리)', '마루(꼭대기)' 등의 지금의 말을 낳았다. 뿌리말

‘맏’은 오랜 세월을 거쳐 또 많은 말을 파생시켰다.

　　우리말은 같은 뿌리를 둔 것이라도 뜻의 분화에 따라 조금씩 그 음을 달리하면서 친척말을 만들어 낼 수 있는 좋은 조건을 가졌다. 이것은 다른 언어에서 찾아볼 수 없는 우리말의 특징이다.

• 친척말 •

마루, 맏이, 맏아들, 머리, 이마, 마파람(남풍), 말무덤(큰 무덤), 말벌(큰 벌)

• 친척 땅이름 •

- ‘마루’가 한자 ‘종宗’으로 취해진 경우 -

마루미(종산宗山), 밑마루(종촌宗村)

- ‘마루’가 한자 ‘두頭’로 취해진 경우 -

마루개(두현頭峴), 마루골(두곡頭谷), 말미(두산頭山)

- ‘마루’가 한자 ‘지旨’로 취해진 경우 -

만마루(만지晩旨), 산마루(산지山旨), 외마루(와지瓦旨)

○ ∧ □

선바위, 갓바위, 애기빌이 붙임바위, 바위들

_ 서울 종로구 부암동 붙임바위(부침바위)

_ 서울시 인왕산 중턱의 선바위

∧ ○ □

#붙임바위 #갓바위 #매바위 #너럭바위 #선바위

배고파 지어 놓은 밥에

뉘도 많고 돌도 많다

뉘 많고 돌 많기는

임이 안 계신 탓이로다

그 밥에 어떤 돌이 들었더냐

초벌로 새문안 거지바위

문턱바위 둥글바위

너럭바위 치마바위

……(중략)……

동교東郊로, 북바위, 갓바위

동소문 밖 덤바위

자하문 밖 부침바위

백운대로 결단決斷바위

……(중략)……

도로 올라 한양 서울

경퇴景退절 법당 앞 개대바위

서강西江의 농바위 같은 돌멩이가

청대콩 많이 까 둔 듯이

드문 듬성히 박혔더라

그 밥을 걸복을 치고

이를 쑤시고 자세 보니

연주문 돌기동 한 쌍이

금니 박히듯 박혔더라

그 밥을 다 먹고 나서

누른 밥을 훑으랴고

솥뚜껑을 열고 보니

해태 한 쌍이 엉금엉금

_〈바위타령〉

우리 민요 〈바위타령〉에는 수많은 바위 이름들이 나온다. 〈바

○ ∧ □

위타령〉은 약 2백 년 전부터 전해 내려오는 것으로 추측된다. 배고파서 지어 놓은 밥에 뉘도 많고 돌도 많다. 그 밥에 어떤 돌이 들었더냐 하고는 갑자기 돌이 바위로 바뀌고 너럭바위, 치마바위 등이 나온다. 뒷부분의 '연주문 돌기둥', '해태 한 쌍'이니 하는 과장이 익살스럽다. 밥알 속의 작은 돌을 바위나 돌기둥 따위에 비유하면서 웃음을 자아낸다.

민요에도 나올 만큼 친숙한 바위는 예로부터 신적인 존재로 여기기까지 했다. 바위를 의인화해 대화를 나누고 소원을 빌기도 했다. 아들 낳기를 원하면 "바위 신령님, 떡두꺼비 같은 아들 꼭 낳게 해 주이소" 하는 식으로 빈 것이다. 이처럼 우리 조상들은 바위와 가까이해 왔기에 바위를 뜻하는 '암岩'이 들어간 땅이름이 적지 않다. 서울만 해도 부암동, 종암동, 안암동, 상암동, 후암동, 응암동 등의 이름이 있다.

애기빌이 붙임바위

'애기빌이'라는 말이 있다. 아기를 낳게 해 달라고 하늘에 빈다는 뜻에서 나온 말이다. 옛날에는 시집간 여자들이 중요한 덕목처럼 여긴 것이 아기를 낳는 일이었다. 그래서 아기를 못 낳는 아낙이라면 지푸라기라도 잡는 심정으로 소원을 잘 들어준다는 바위를 찾아 애기빌이를 하기도 했다.

● 서울 자하문 밖의 붙임바위(부침바위)는 아기 못 낳는 아낙들이 애기빌이를 위해 많이 찾아간 곳이다.

　　서울 자하문 밖의 붙임바위(부침바위)는 아기 못 낳는 아낙들이 애기빌이를 위해 많이 찾아간 곳이다. 〈바위타령〉에도 이 바위가 나온다. 경복궁 서쪽의 자하문길을 따라 북쪽으로 달려 창의문(자하문)을 지나 세검정 로터리에 이르면 '부침바위 터'라는 안내 표석이 나온다. 부침바위는 부암동에 비스듬히 서 있던 바위였다.

　　아기 낳기를 원하는 여인들은 이 바위에 돌을 붙이며 소원을 빌었다. 작은 돌멩이를 가져와 혼신의 힘을 다해 비벼서 비스듬히 기울어진 바위에 딱 들러붙게 했다. 음陰을 상징하는 바위 구멍에 양기陽氣로 발기한 돌(음경)을 삽입해 아기를 만든다는 속설에 따른 것이다. 돌멩이가 바위에 붙지 않고 미끄러져 떨어지면 허사가 된다고 믿었다. 얼마나 많은 사람들이 돌멩이를 비볐는지, 바위 곳곳이 옴폭하게 패여 온통 벌집투성이가 되었다.

　　이 바위는 '붙임바위'라는 이름으로 불리며 인근 지역뿐 아니

○ ∧ □

라 서울 장안에까지 널리 알려졌다. 이 바위는 50여 년 전 도로 확장으로 이미 없어졌다. 그러나 '붙임'과 '바위'의 뜻을 담은 한자 이름 '부암附岩'은 지금 서울 종로구의 부암동으로 남게 되었다.

'중은 선비의 책보나 짊어지고 다닐 신세', 인왕산 선바위

조선시대에 호랑이가 많기로 유명했던 인왕산 서쪽 중턱에는 '선바위'라는 큰 바위가 있다. 행정구역상 위치는 서울 종로구 무악동 산 3-4호이다. 마치 중이 장삼을 입고 서 있는 것처럼 보이는 이 바위는 원래 '서 있는 바위'라는 뜻의 '선바위'였지만, 불교를 신봉하는 이들은 '선禪바위' 또는 '선암禪岩'으로 부르기도 했다.

두 개의 큰 바위가 어깨를 나란히 한 모습의 선바위는 높이가 7~8미터쯤 되고, 가로가 11미터 앞뒤, 폭이 3미터쯤이다. 그러나 이 바위는 오랜 옛날부터 이곳을 찾는 이들 때문에 원래의 모습을 많이 잃었다. 바위 아래로는 시멘트 제단이 마련되었는데, 제단 앞에는 제를 올리는 사람들의 편의를 위해 항상 제사상과 촛불이 놓여 있다.

이 선바위 옆에 있다는 이유로 관리사무소 건물 이름이 '석불각石佛閣'이 되었고, 불자들은 이 바위를 '석불' 또는 '관세음보살'이라고 부른다. 아들을 낳고 싶어서 이 바위를 찾는 사람들은 '기도하여 자식을 얻는다'는 뜻으로 '기자암祈子岩'이라고도 부른다.

선바위에는 조선 건국 초기의 역사적 일화가 얽혀 있다. 태조 이성계가 도성을 쌓을 때 임금의 스승인 무학대사와 문신인 정도 전이 이 바위를 성안에 들어오게 하느냐, 성 밖에 들도록 쌓느냐 하는 문제를 놓고 의견이 크게 엇갈렸다. 불교를 받드는 무학대사는 당연히 이 바위를 성안으로 들어오게 해야 한다고 주장했고, 불교 와는 거리가 먼 정도전은 이 바위가 성 밖에 있도록 성을 쌓아야 한 다고 고집했다.

두 사람의 의견을 두고 고심하던 어느 날 밤, 태조 이성계는 꿈 을 꾸었다. 인왕산 일대에 하얀 눈이 쌓여 선바위 안쪽으로 햇볕과 관계없이 눈이 모두 녹으면서 눈이 쌓인 자리와 녹은 자리가 뚜렷 이 구분되는 내용의 꿈이었다.

이성계는 하늘이 자신에게 도성을 쌓을 자리를 정해 준 것이

❯ 마치 중이 장삼을 입고 서 있는 것처 럼 보이는 인왕산 선바위이다.

라고 생각하고, 그 선을 따라 성을 쌓도록 했다. 결국 선바위를 성 밖으로 내놓자는 정도전의 주장대로 되었다. 그러나 이성계는 본래 불교 신자가 아니어서 정도전의 말을 따라 꿈을 핑계로 성을 쌓게 했다는 설도 있다. 바로 "이 바위를 성안에 두면 불교가 왕성하고, 밖으로 내놓으면 유교가 왕성해진다"는 말이다. 이 일로 크게 실망한 무학대사는 한탄을 하며 다음 말을 남기고 어디론가 길을 떠났다고 한다. "이제부터 중은 선비의 책보나 짊어지고 다닐 신세가 되었다."

지금도 선바위 위쪽으로 5백미터쯤 떨어진 곳에는 옛날에 축성한 성곽의 일부가 남아 있다. 선바위 바로 밑으로는 국사당이 있고, 주위의 인왕산 중턱에는 열두 암자가 있다. 또, 선바위의 위쪽으로는 묘한 모습의 바위들이 널려 있어 가히 바위의 전시장이라 할 만하다. 아마 인왕산 호랑이들의 본부(?)는 바로 이 바위의 모습이 아니었을까 한다.

'선바위'는 수도권 지하철역 이름으로도 잘 알려진 경기 과천시 과천동을 비롯해 충남 논산시 두마면 입암리, 경북 예천군 개포면 입암리 등 여러 곳에 있다. 이런 땅이름을 가진 곳에는 이름 그대로 '서 있는 바위'가 있다. 한자로는 대개 '입암立岩'이나 '입석立石'으로 표기된다.

갓바위, 부엉바위, 매바위, 바우독
'바위'와 관련된 여러 이름

선바위와 비슷한 바위에 갓바위가 있는데, 선바위와는 모양이 조금 다른 것이 많다. 선바위와 달리 끝이 뭉툭하고 더러는 갓 모양인 것이 있어 다른 한자를 써서 '입암笠岩'으로 표기한다. 옛날에 자식을 못 낳는 여인들이 선바위보다는 갓바위에 치성을 드리곤 했는데, 이는 바위 모양을 보고 선택한 것이다.

월드컵경기장이 있는 상암동이라는 이름은 바위와 관계가 있다. '상암동'은 이 일대의 옛 지명인 '수상리水上里'의 '상上' 자와 '휴암리休岩里'의 '암岩' 자를 합성한 데서 유래했다. 휴암리는 우리 토박이 땅이름으로는 '부엉바위'이다. 이곳 한길가에 부엉이처럼 생긴 바위가 있어서 이런 이름이 생긴 것이다. 이 '부엉바위'를 훗날 사람들이 '봉바위'라고 불렀고, 〈바위타령〉에도 '봉바위'라는 이름으로 등장한다.

서울 은평구 응암동에는 '매바위'라는 바위가 있는데, 이것의 한자인 '응암鷹岩'이 동 이름으로 붙여졌다. 매바위는 매바윗굴 뒤에 있는 바위로 모양이 매와 닮았다. 이곳에 있는 매바위 약물은 여름에도 얼음같이 차갑다고 '찬우물', '응암동 약수'라고 부른다. 백여 년 전 이곳에 학 한 마리가 날아와 상한 다리를 이 물에 담갔더니 닷새 만에 나아서 날아갔다고 한다. 그 후로 이 물을 약수로 쓰기 시작했다고 한다.

○ ∧ □

서울 용산구 원효로3가에는 '바우독'이라는 큰 바위가 동네 한가운데에 있다. 바위의 일부가 일반 주택으로 들어가 있기도 한 이 바위는 아직도 옛날 모습 그대로이다. 바위 아래쪽을 자세히 보면 불에 그을린 흔적이 조금 보이는데, 동네 사람들이 예전에 소원을 빈 흔적이라고 한다. 동네 깊숙한 곳에 있어서 찾기 어렵지만 이 지역에 오래 산 사람들은 이 바위를 잘 안다. 한때 이 골목 앞 도로를 '바우독길'이라고 불렀으나 지금은 새 도로명이 붙었다.

　　서울 성북구에는 종암동이 있다. 종암동 고려대학교 뒷산에는 북처럼 생긴 커다란 바위가 있었다. 이 바위를 '북바위'라 부르고, 한자명으로 '종암鐘岩' 또는 '고암鼓岩'이라고 한 것에서 동 이름이 유래했다. 종암동과 같은 구에 안암동도 있다. 안암동3가에 십여 명이 앉아 편히 쉴 만한 큰 바위가 있어서 이 바위를 '앉일바위'라고 불렀는데, 한자명으로 '안암'이라고 표기한 것에서 유래했다. 이 밖에 바위 관련 이름으로는 매바위, 용바위, 흔들바위, 너럭바위, 아들바위 등 수도 없이 많다.

　　이처럼 '바위'가 들어간 땅이름이 많은 이유는 그 지역을 대표해 주는 대상으로 바위가 좋기 때문일 것이다. 예를 들어, 동네 앞에 큰 바위가 하나 서 있다고 하자 이 동네를 가리킬 때 '바위가 서 있는 마을'이라고 하면, 그 마을을 이르는 아주 좋은 지칭이 되는 것이다. '바위가 서 있는 ……' 식으로 지칭이 길 수도 있지만 긴 이름은 시간이 흐르면서 자연히 줄어들 것이다.

바위가 서 있는 마을 > 선 바위 마을 > 선바위

부엉이처럼 생긴 바위가 있는 마을 > 부엉바위 마을 > 부엉바위

이래서 '선바위'가 나왔고 '부엉바위'가 나왔다. 지금은 바위를 그리 눈여겨보지 않고 종종 방해물로 생각하는 경향이 있다. 하지만 우리 조상들은 바위를 가까이하며 더러는 바위를 친구처럼 생각하기도 했다. 마을 이름에 '바위'가 많이 붙어 있는 것은 이 때문이다.

• 친척말 •

바웃돌, 바구(바위 사투리), 박우물(바위우물)

• 친척 땅이름 •

검바위, 흑암黑岩, 말바우, 두암斗岩, 몰바우,
바우모탱이, 암우岩隅, 바위골, 암곡岩谷, 배박굴, 배바윗골, 선바우, 선동立石,
선바위, 선암仙岩, 선바위, 입암立巖, 용바우, 용암龍岩

들이 길게 뻗어
'벋을', '버들', 버드내

_ 경기도 이천시~여주시 버드내와 버들고지
_ 경기도 수원시 영통구 원천동 먼내
_ 서울시 마포구 양화진 버들고지
_ 경기도 의정부시 녹양동 버들개

∧ ○ ▢

#벋을 #버들곶 #버들고지 #버드내

옛날 중국 사신들이 오면 꼭 들르는 곳이 있었다. 바로 양화진 나루이다. 이곳은 한강진, 노량진과 함께 옛날 서울 삼진三鎭의 하나였다. 지금의 양화대교 상류 쪽 강가에 있었던 이 나루는 조선 영조 때 생겼다고 하는데, 여기의 배들은 건너편 서강과 잔다리(지금의 서교동)쪽을 왕래했다.

양화진은 양화대교 북단에 있던 나루터이다. 한강도(한강진漢江津)와 아울러 고려 때부터 중요한 도선장의 하나였고, 조선 초에 이미 도승이 배치되었다. 강화가 교통·관방상으로 중요시되던 당시에는 양천陽川을 거쳐 강화로 이어지는 길목이었다.

양화도 어귀에서 뱃놀이하니
별천지가 바로 예로구나.
어찌 신선과 학을 타고
놀아야만 하는가.
해가 서산마루에 지면서
황금의 물결 이루노니
흥이 절로 이누나.

조선 전기의 문신이었던 서거정이 양화나루에서 뱃놀이를 하면서 읊은 시다. 이 시에서도 알 수 있듯이 이 근처는 나루터였을 뿐만 아니라 뱃놀이하기에 좋은 터였다. 경치가 좋아서 중국 사신이 오면 종종 이곳에서 뱃놀이를 베풀었으며 인근에는 사대부들의 별장이 많았다. 나루터가 매우 넓어 다른 어느 나루보다 배들이 많이 모여들고 장사꾼도 많았다.

이곳은 조선시대에 진鎭을 열었지만, 나루는 고려시대부터 있었다. 양천을 거쳐 강화로 이어지는 중요한 길목이었다. 양화도 부근의 선유봉을 빼고는 온통 너른 들판이었다. 이 지역이 벌판이었다는 사실은 지금의 양평2동 주민센터 근처에 있던 마을이 옛날부터 '벌말', 또 당산동6가의 한 마을이 '벌당산'으로 불려 왔다는 사실

○ ∧ □

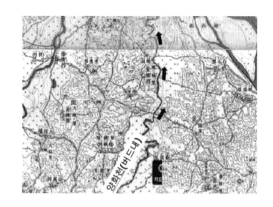

● 1916년 지형도를 바탕으로 그린 경기도 여주시 세종대왕면과 흥천면 사이의 양화천이다.

로도 알 수 있다. 1925년 장마 때 이곳의 많은 마을이 겪은 큰 물난리도 이곳이 강가의 넓고 낮은 지대였다는 사실을 뒷받침한다.

요즘에도 큰비가 내릴 때면 강이나 내가 범람해서 지대가 낮은 지역의 도로가 마비되는데, 예나 지금이나 강물을 다스리는 일은 국가의 대사일 수밖에 없었다.

앞에 있으면 '앞내', 뒤에 있으면 '뒷내'

서울 한강의 나루였던 양화진楊花津은 한자로만 보면 '버드나무 꽃이 피는 나루'가 된다. 과연 꽃 때문에 '양화진'이란 이름이 생겼을까? 이 이름은 '버들고지(버들곳이)'였던 이름이 한자의 '양화楊花'로 표기된 것이다. 버드내의 '버드'나 버들고지의 '버들'은 식물 이

름이 아니라 '벋을延'을 표기한 것으로 '하천이 길게 벋어 내려옴'을
뜻한다.

◉ '양화楊花'는 버들고지가 한자로 표기된 것

버들楊＋곶花 〉 버들곶(버들고지)

버들고지(양화진)의 건너편, 영등포 로터리에서 여의도 샛강을
오른쪽에 끼고 북서쪽으로 당산동5가까지 뻗은 도로의 이름은 '버
드나룻길'이었다. 이 이름을 갖게 된 이유는 옆의 한강에 '양화楊花
나루'가 있었기 때문이다.

우리 조상들은 동네에 있는 내에 따로 이름을 붙이지 않았다.
앞에 있으면 '앞내', 뒤에 있으면 '뒷내', 작은 내면 '작은내', 큰 내면
그대로 '큰내'라고 했다. 또 이름을 붙였다 해도 부러 '~내'라고 이
름까지 말하지 않았다.

그래서 내의 이름은 그냥 일반명사처럼 붙은 것이 많고 같은
이름도 많다. 하나의 내라고 해도 상류 쪽 이름과 하류 쪽 이름이
다른 것도 많다. 상류 쪽 사람과 하류 쪽 사람이 내 이름을 똑같이
부를 필요도 없었을 테니 말이다. '버드내'란 이름도 전국에 엄청
많다. 사실 땅이름은 갑자기 지어진 이름이 아니고, 마을 사람들이
적당히 부르다가 굳어져서 어느 순간 '지어진 이름'처럼 정착된 것
이다.

양화천楊花川은 경기도 이천시 설성면 대죽리 마옥산에서 발원

❷ 경기도 여주평야를
흐르는 버드내(양화
천)는 오랫동안 '긴
내'라고 불러 왔다.

하는 내이다. 냇물이 양화나루로 유입되기 때문에 '양화천'이라고
부른다고 하지만, '양화나루'라는 이름 자체가 양화천이 흘러드는
목이라고 해서 양화나루가 된 것이라고도 볼 수 있다. 그렇기 때문
에 어느 쪽 이름이 먼저라고 할 수 없다. 이 하천은 오랫동안 '긴 내'
라고 했고, 한자로는 '길천長川'이라고 불러 왔다.

양화천은 여주시 가남읍 상활리를 경유하는 물과 태평리, 신
해리를 경유하는 물이 정단리와 양거리 사이에서 합류하여 대하천
을 이룬다. 그런 다음 매류리와 다른 여러 마을을 거쳐 세종대왕면
내장리와 홍천면 상백리 어름에서 양화진으로 유입된다. 남한강에
합류되는 이 하천은 많은 평야와 옥토를 조성해 주고 물대기에 큰
도움이 되고 있다.

우리 땅에 냇줄기가 없는 곳은 없다. 어느 지방이나 내는 흐른다. 내의 이름은 크기와 모양에 따라 붙기도 하고, 냇줄기의 위치나 장소에 따라 붙기도 한다.

가장 많은 유형의 이름은 모양에 따라 붙은 것이다. 대표적으로 길게 뻗어 흘러서 이름이 붙은 버드내(유천柳川), 먼내(원천遠川), 진내(장천長川)가 있다. 길게 흐른다고 해서 이름이 붙은 '긴내'는 전국 여러 곳에 있다. 경북 예천군 감천면 진평리가 대표적인데, 대부분 구개음화하여 '진내'가 되고 한자로는 대개 '장수長水'로 쓴다. 구개음화된 땅이름으로는 진내 외에 지픈내(깊은내), 진고개(긴고개), 진골(긴골), 진마루(긴마루) 등이 있다.

내가 흐르는 모양이나 지역, 깊이나 크기에 따른 여러 가지 이름을 알아보면 다음과 같다.

▶ 내의 속성에 따른 이름

작거나 폭이 좁은 내: 솔내(송천松川), 가는내(세천細川)

크거나 넓은 내: 한내(한천漢川), 너르내(광천廣川)

휘돌거나 구불구불한 내: 두레내(회천回川), 구븐내(곡천曲川)

곧게 흐르는 내: 고든내(직천直川), 고등이내(고등천高等川)

깊거나 오목한 내: 깊은내-지프내(심천深川), 오목내(오목천梧木川)

물줄기가 아울러 흐르는 내: 아우라지, 아우내(병천竝川), 아오지(탄

○ ∧ □

광), 두무개(두모포斗毛浦), 두물머리(양수리兩水里)

벌이나 골 사이를 흐르는 내: 사이내(사이곡천沙面谷川), 새내(간천間川
–신천新川), 골지내(골지천骨之川), 고살내(고사곡천古寺谷川)

모래땅을 흐르는 내: 모래내(사천沙川), 모라내(사천沙川)

들판이나 벌판을 흐르는 내: 벌내(벌천伐川), 버리내(벌리동천伐里洞川),
달내, 들내(달천達川)

 경기도 수원시의 삼국시대 땅이름은 '매홀군'으로 '물이 많은 고장'이라는 뜻이다. 여기서 '매'는 '물', '홀'은 '골(고을)'이다. 즉 '매홀'은 '맷골'의 음차로 '물골'의 뜻이어서 이 이름은 지금의 '수원水原'이라는 이름이 바탕이 된다.

 수원에는 광교산에 물뿌리를 둔 수원천이 지나는데, 상류 쪽으로 두 개의 큰 지류가 있다. 하나는 북동쪽의 원천저수지를 거쳐 오는 물줄기, 다른 하나는 북서쪽의 광교저수지를 거쳐 오는 물줄기이다. 그 상류 이름이 각각 먼내와 버드내인데, 이 두 이름은 모두 길게 뻗어 흘러서 붙은 것이다.

 '먼내'는 '멀리서부터 내려오다'는 뜻이 '버드내'는 '벋은 내'이므로 '길게 뻗어서 내려오다'는 뜻이 포함되어 있다. '버드내'는 사실 버드나무와는 아무 관계가 없다. 하긴, 버드나무도 가지가 길게 벋어 내려 나온 이름이니 그 말뿌리로 보면 같다고 할 수 있지만. '버드내'와 '먼내(머내)'는 이곳 말고도 전국 여러 곳에 있다.

들이 길게 뻗어 '벋을', 소리 나는 대로 '버들'

버드내는 대개 버들과 관련을 지어 한자로 '유천柳川'이라고 많이 표기하지만, 여주시의 버드내처럼 '양화천楊花川'이라고 표기하기도 한다. 그 이유는 '버들'을 한자의 '유柳'라고 적을 수도 있고 '양楊'으로 적을 수도 있기 때문이다. 경기도 의정부시 녹양동에도 버들 관련 이름이 있다. 이곳에 대해서《한국지명총람》에는 다음과 같이 적고 있다.

이곳은 본래 양주군 시북면 지역으로서 버드나무가 많으므로 녹양벌, 녹양이, 냉이, 냉이, 또는 녹양평이라 하여 나라의 말을 먹였는데, 도봉산과 수락산 호랑이의 피해가 많으므로 면목동과 뚝

❯ 버들개마을은 의정부의 버들과 관련한 유명한 마을이다.

섬으로 옮긴 뒤 비로소 마을이 되었는데, 1914년 행정구역 폐합에 따라 유현리, 비우리, 입석리 일부를 병합하여 녹양리(동)라 해서 시둔면(의정부시)에 편입되었다. 여기에는 조선 때 평구도찰방平丘道察訪에 딸린 녹양역이 있었다.

의정부에는 버들과 관련한 유명한 마을이 있다. '버들개'라는 마을이다. 녹양동의 '양楊'도 이 마을 때문에 나온 것이 아닌가 한다. 들이 길게 뻗어 '벋을'이 소리 나는 대로 '버들'이 되고, 이것이 땅이름으로 고착되면서 버드나무와 관련된 이름처럼 변한 것으로 보인다. 즉 '벋을'과 '버들'은 발음이 같기 때문에 이런 현상이 나오게 된 것이다.

경남 산청군과 합천시 사이의 버드내, 충남 서산시 등의 버드내는 '양천楊川'이라고 적고 있다. 여주시 세종대왕면 내양리에서 으뜸 되는 마을인 버들고지(버들곶)도 한자로 '양화楊花'인데, '벋은(들이 뻗어 있는)'이 '버들'로 옮겨 가 있다. 이곳의 양화천은 다른 하천보다는 굴곡이 그리 심하지 않다. 내가 대체로 편편한 들판을 지나기 때문이다. 발원지부터 남한강에 이르는 하구까지 길게 흘러내리는 이 내는 지나는 지역 대부분이 평지이다. '벋을(버들)'이라는 이름이 나올 만도 하다.

안양시에는 호계동虎溪洞이 있다. 한자의 뜻대로 풀이하면 범(호랑이)과 관련된 이름이다. 그러나 이 이름은 범과는 아무 관련이 없으며 토박이 땅이름 '범개'를 한자로 의역해 붙인 것일 뿐이다.

특별한 경우가 아니면 하천 이름에 동물 이름이 들어갈 리는 거의 없다. 범내, 여우내, 곰내도 동물이 그 하천에 나타나서 붙은 이름이 아니다. 그러나 글자에 얽매여 땅이름의 뜻을 잘못 해석하는 일이 적지 않다. 예를 들어, '범개'라는 이름에 '범' 자가 들어가 있어 호랑이와 연결해 뜻을 풀이하는 사람이 있다. 한자까지 '호虎'를 취했으니 더욱 헷갈렸을 것이다. '범개'에서의 '범'은 원래 제 음이 아니었다. '번'이 변한 것으로 보이며, 이는 '벌린(트인)'이나 '벌어진'의 준말로 보인다.

◉ '범계'는 '범개'를 의역한 것

번(벌은)+개 > 번개 > 범계(호계虎溪)

• 친척말 •

버들(벋을), 버들가지, 버드나무, 번(벌은), 벋니(바깥쪽으로 버드러진 이)

• 친척 땅이름 •

버드내, 유천柳川, 먼내, 원천遠川, 범내, 호계虎溪

○ ∧ □

'가도 가도 끝 없다'는
곧베루, 꽃벼루

_강원도 정선군 여량면 꽃벼루
_서울시 노원구 월계동 벼루말

∧ ○ □

#벼루 #베루 #벼랑 #벼루말 #벼루재

강원도 정선 고을은 너무도 험한 산악지대이다. 옛날에는 이 고을에 부임해 오는 현감마다 이곳에 오기를 힘들어했다. 가도 가도 끝이 없는 산 굽잇길을 돌다 보면 절로 한숨이 나왔다. 현감을 따라오던 부인마저 노래로 이렇게 탄식을 했다고 한다.

아질아질 꽃베루
지루하다 성마령

지옥 같은 이 정선을
누굴 따라 여기 왔나
아리랑 아리랑 아라리요
아리랑 고개로 날 넘겨 주게

_〈정선아리랑〉

정선 고을에 들어와 선정을 베풀었다는 오횡묵 현감의 부인이 꽃베루와 성마령을 넘으며 지루함을 달래느라 불렀다는 이 노래가 〈정선아리랑〉의 하나로 남았다. 이 민요가 왜 구슬픈지 알 수 있다.

곧 베루가 끝나요, '곧베루'에서 '꽃베루'로

산이 많고 골이 깊어 들어올 때는 울지만, 오래 살면 정이 들고 아늑해서 웃고 산다는 고장, 연암 박지원이 그의 작품《양반전》에서도 산간벽지로 그렸던 강원도 정선이다. 온통 산으로 둘러싸인 정선을 두고 연암은 특유의 해학적인 멋드러진 표현을 남겼다. '정선 읍내 한가운데에서 하늘을 보면 그 넓이가 겨우 15평이었다.' 연암의 이 표현에 후대 사람들은 일제강점기 때 철도 부설로 언덕을 깎아서 하늘이 한두 평은 더 넓어 보인다라는 너스레를 떨기도 했다.

'꽃베루'는 '꽃벼루'라고도 한다. 꽃벼루에 얽힌 얘기가 있다.

○ ∧ □

강원도 정선의 꽃벼
루는 한자로는 화현
花峴이라고 쓴다.

오 현감과 함께 가마를 타고 꽃벼루재(여량면의 고개)를 넘던 부인이
너무나 지루해 탄식을 하자, 이를 보다 못한 현감이 나졸들에게 물
었다.

"고을이 아직 멀었느냐?"

아직 한참 더 가야 하지만 나졸들의 대답은 달랐다.

"조금만 더 가시면 되옵니다."

그러나 한참을 더 가도 깊은 산골짜기일 뿐 고을은 보이지 않
았다.

"저 산베루만 돌아들면 되는가?"

하지만 산베루를 돌아들어도 계속 벼룻길이었다. 현감은 아예
고개를 밖에 내놓지 않고 물었다.

"아직 산베루는 안 끝났는가?"

"예, 산베루는 곧 끝나요."

이젠 현감이 묻기도 전에 나졸들은 계속 외쳐댔다.

"곧 베루가 끝나요."

"곧 베루가 끝나요."

이렇게 해서 이곳이 '곧베루'가 되었고, 그 말이 변하여 '꽃베루(꽃벼루)'가 되었다고 한다. 지금의 정선군 여량면 여량리의 지명인 '화연花硯'은 이 꽃벼루를 한자로 옮긴 것이다.

'베루'는 '벼랑'이란 뜻의 강원도 사투리로, 이곳에선 '산 굽잇길', '산기슭 길'이라는 뜻으로 쓰인다. '곧베루'의 '곧'은 '가도 가도 끝이 없다'는 뜻의 강원도 방언이기도 해서 '곧베루'는 '매우 긴 산 굽잇길'이라는 뜻이 된다. 나졸들은 이 뜻을 잘 모르는 현감에게 일부러 이 말을 써서 변명할 소지를 남겼는지도 모른다.

강원도 곳곳에 많이 보이는 '꽃벼루'는 '불쑥 튀어나온 언덕'이라는 뜻인 '곶벼루'가 변한 지명으로 '벼루硯'와는 아무 관계가 없다.

❯ '곧베루'는 '매우 긴 산 굽잇길'이라는 뜻이 된다.(강원도 정선의 꽃 벼루 인근 지도)

꽃벼루라는 이름은 강원도 횡성군 둔내면 석문리에도 있는데, 여기도 한자명으로는 화연花硯이다.

'별'은 '벼랑'의 옛말

한자식 땅이름에서 '벼랑'이 '별 성星', '보리 맥麥' 등 여러 글자로 나타나지만, '벼랑(비탈)'의 방언 '벼리(별이)'나 '보리(볼이)'는 그대로 지닌다. 조선 시대 정약용의 《아언각비》나 노사신 등의 《동국여지승람》을 보면 비탈의 뜻인 '벼루'를 '천遷' 자로 취했음을 알 수 있다.

水出兩狹中, 其兩厓水之路 ⋯⋯ 遷方言別吾

'천遷(벼랑)'이란, 물이 양쪽 산골에서 나와

그 양쪽 언덕에 임박하는 길을 말하는데

⋯⋯(중략)⋯⋯

'천遷'을 방언으로는 '벼로別吾'라고 한다.

_정약용, 《아언각비》(권2)

'별'은 '벼랑'의 옛말이어서 '낭떠러지'의 뜻이 담긴 지명들에 '별 성星' 자가 많이 쓰였다. 전남 순천시 별량면의 '별량別良'은 '벼랑'의 취음인데 고려 때는 '별량부곡'이었다. 평북 강계군 입관면 고개

동의 '별한'도 '벼랑'을 표기한 것이다.

특히 산이 많은 북한에는 '산양별(장진)', '사양별(풍산)', '별하(강계)' 등 '별' 관련 지명들이 많다. 이들 마을은 각각 장진강, 허천강, 부전강 등의 강가에 있으며 벼랑이 많은 지역이다. 평북 만포시에는 '별오', 희천군에는 '하별', 함남 학성군에는 '청별안' 등의 벼랑 관련 지명이 있다.

북한에는 벼랑의 다른 이름인 '벼루'를 '별우別隅'로 취한 이름들도 많다. 강원 금성군의 별우, 이천군의 갈별우, 평남 덕천군의 두별우, 함남 장진군의 독별우, 고별우, 내별우, 신흥군의 소별우 등이 그 예이다. '별(벼랑)'과 '별星'은 음이 같아서 '성산星山', '성곡星谷', '성암星岩' 등의 지명들도 나왔다. 이러한 지명들은 특히 전라도와 충청도 지방에 많다.

'벼루말'의 한자식 이름 '연촌'

강가나 바닷가에 있는 벼랑도 '벼루'이고, 먹을 갈아 쓰는 도구도 '벼루'여서 '벼랑'이라는 뜻이 '벼루 연硯' 자로 취해지기도 했다. 서울 노원구 월계동에 있는 경원선의 광운대역은 원래는 연촌역이었다. 중랑천 냇가 벼랑 근처에 '벼루말', 즉 '연촌'이라는 마을이 있었기 때문이다. 벼루말의 한자식 이름이 '연촌硯村'이다. 연촌역은 성북역으로 남아 있다가 2011년 8월부터 광운대역으로 바뀌었다.

○ ∧ □

충북 괴산군 도안면 연촌리는 연치리와 점촌을 병합하여 만든 지명이다. 이곳에 '벼루재'라는 마을과 고개가 있다. 마을이 넓어서 '안벼루재(내현內峴)'와 '바깥벼루재(외현外峴)'로 구분해 부르기도 한다.

충북 제천시 봉양읍 원박리에는 박달재로 가는 벼랑길의 마을인 '벼루박달'이 있다. 박달도령과 금봉낭자의 애틋한 사랑의 전설이 있는 박달재는 충주와 제천을 잇는 38번 국도 중간 지점인 제천시 백운면과 봉양읍의 경계인 시랑산 아래에 위치하고 있다.

이곳은 '천등산 박달재'라고도 하고, 조선시대에는 천등산과 지등산이 연이은 마루라는 뜻에서 '이등령'이라고 불리기도 했다. 이 일대에 박달나무가 많이 자생해서 '박달재'라고도 한다는데 확실하지는 않다. 또 여기서 죽었다는 박달이라는 청년의 이름을 따서 '박달재'라고 부른다고도 한다. 그러나 그 이전부터 이 고개 이름이 있었을 테니 이런 이야기는 믿을 만한 것이 못 된다.

현재 박달재 고갯마루에는 이 고개에 전해 오는 이야기들을 모티브로 한 조각상들이 전시된 조각공원과 관광안내소, 그리고 널찍한 마당을 갖춘 휴게소와 노래비, 전망대가 설치되어 있다.

'벼루'라는 땅이름은 특히 강원도에 많다. 산지가 많은 지역 특성상 그럴 수밖에 없을 것이다. '벼루'는 지역에 따라서는 '별어', '베리' 등으로 불리기도 한다. '벼루'가 들어간 땅이름 중에는 '벼루꾸미'라는 이름이 양양군 양양읍 연창리에 있고, '긴 비탈'이라는 뜻의 '질벼루'가 홍천군 북방면 장항리에 있다. 밤나무가 많아 이름 붙은

'밤벼루'는 한자명으로 '율연^{栗硯}'인데, 횡성군 우천면 두곡리에 있다. 강원도와 가까운 충북 단양군 단양읍에는 벼리실(별곡^{꿰谷})이 있고, 충남 금산군 남이면에도 '벼리실'이 있는데 한자로는 성곡^{星谷}이다. 벼랑을 '별'로 보아 별말^{꿰村}이 전북 고창군 고창읍에, 달벼리(월성^{月星})가 전북 임실군 신덕면 월성리에 있다.

　앞에서도 언급했지만, '벼랑'의 뿌리말이 '별'이어서 한자로 '성^星'이 들어간 땅이름이 무척 많다. 성곡^{星谷}, 성산^{星山}, 성촌^{星村} 등의 지명들이 그것이다. 그렇다고 그런 땅이름을 무조건 '별'과 관련지어 풀이할 것인가? 그리하면 우리 땅이름의 정착 과정을 너무 모르는 것이다. '별'이 들어간 땅이름 중에는 '벼랑'의 뜻을 품은 땅이름도 많다는 사실을 알았으면 좋겠다.

• 친척말 •

벼랑, 벼룻길(아래가 강가나 바닷가로 통하는 벼랑길),
비알('비탈', '벼랑'의 방언)

• 친척 땅이름 •

돌벼루, 독벼루, 베리, 부수베리, 산벼실, 새벼루, 별메, 별뫼
성산^{星山}, 별량곡^{꿰良谷}, 별맛산

가운데 들과 넓은 들,
삽다리와 판교

_ 충남 예산군 삽교읍 삽다리
_ 경기도 성남시 분당구 판교동

∧ ○ □

#사이 #널다리 #섶다리놓기 #모두만이

내 고향 삽교를 아시나요
맘씨 좋은 사람들만 사는 곳
시냇물 위에 다리를 놓아
삽다리라고 부르죠

서울역에서 장안선 타고
천안을 지나고 온양을 지나
수덕사 구경을 하시려거든

삽다리 정거장서 내려야죠

한국전쟁 중 1·4 후퇴 때 삽교천으로 피난해 내려간 조영남의
〈삽다리〉라는 노래 가사다. '삽다리'는 흐르는 물에 다리를 놓아 이
름이 붙었다고도 하고, 내에 다리처럼 삽을 놓아서 이름이 붙었
다고도 한다.

가운데 들, '삽다리'

'삽다리'라는 이름의 유래 중 엉뚱한 것이 있다. 맨 처음에는
이 다리가 섶으로 놓은 '섶다리'였고, 섶다리가 변해 '삽다리'가 되
었다는 것이다. 그러나 이것은 삽다리의 본래 이름이 '가운데의 들'
이라는 뜻의 '삽다리(삽들)'였다는 것을 모르고 하는 말이다.

인터넷에 누군가가 "왜 삽다리라고 했나요?"라는 질문을 올렸
다. 그에 대해 이런 답이 올라와 있는 것을 보았다.

섶다리, 삽다리에서 유래한 것으로, 섶다리가 변하여 삽다리
가 된 것이 현재 삽교라 부르게 된 것이라 전해집니다. 지명과 관련
해서는 지금의 삽교 옆에 살던 새아씨가 친정어머니의 부음을 듣
고 건너지 못해 애태우는 것을 본 마을 사람들이 섶으로 다리를 놓

아 건너게 했다는 이야기와 함께 1860년 무렵 흥선대원군이 남연
군 묘를 조성할 당시 행차하는 다리가 좁아 섶으로 다리를 더 놓았
다는 이야기도 함께 내려온답니다.

땅이름의 유래를 잘 모르는 사람에게는 그럴 듯한 이야기로
보일지도 모른다. 그러나 '삽다리'에서 '삽'은 '사이'라는 뜻의 '샅'이
변한 말이다. '샅바', '사태살(샅애살)', '고샅' 등의 '샅'은 '사이㎖'라는
뜻이다. 삽다리 근처 예산읍 향천리의 '삽티(고개)'도 '사이의 재'라
는 뜻인데, '새재'와 같은 뜻의 땅이름이다.

● '사이'는 '샅'이 변한 말
샅 > 삽 > 사이㎖

'삽' 자가 들어간 땅이름은 많다. 사이의 골짜기인 '삽곳', 사이
의 고개인 '삽재', 사이의 들인 '삽들', 사이의 마을인 '삽실' 등이다.
삽다리나 삽실 같은 땅이름에서 '삽'은 어떤 뜻을 가질까?
우리말에서 두 낱말이 합쳐져 복합어가 되는 경우 ㅂ음이 사
이에 첨가되는 경우가 있는데, 이를 음운상으로 'ㅂ음 첨가'라고 한
다. '삽다리'는 '샅'과 '다리'라는 말 사이에 ㅌ 대신 ㅂ이 들어간 예
로, 앞 음절의 말음(받침)이 자음이 아닌 모음일 때도 'ㅂ'이 첨가되
기도 한다. '메+쌀'이 '멥쌀'로, '벼+씨'가 '볍씨'로, '대+싸리'가 '댑싸
리'로 되는 것을 예로 들 수 있다.

▶ ㅂ음 첨가의 예

살+다리 > ㅂ음 첨가 > 삽다리

메+쌀 > ㅂ음 첨가 > 멥쌀

벼+씨 > ㅂ음 첨가 > 볍씨

대+싸리 > ㅂ음 첨가 > 댑싸리

충남 예산군에 있는 삽교읍의 중심은 삽교리이다. 여기의 '구삽다리'가 원마을로 여기에 삽다리가 있다고 하지만 이는 다리 이름이 아니고 들 이름이다. 삽다리 북동쪽의 마을인 '샛들'은 한자로 '신흥리新興里'라고 하는데, 여기서의 '새(샛)'는 '사이'라는 뜻이 아닌 '새로운新'이라는 뜻이다.

삽다리에서 '다리'는 앞에서도 얘기했듯이 '들'의 뜻이며 삽다리는 '삽들'이 변한 이름이다. '삽교'에서 '교橋'는 '다리'가 아니라 '사

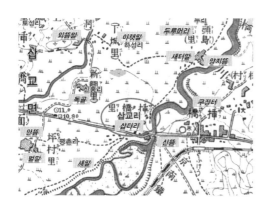

▶ 일제 초기 1916년에 제작된 지도를 바탕으로 한 충남 예산군 삽교읍 근처의 지도이다.

잇들'이라는 뜻인 '삽들'의 '다리'까지 음이 옮겨가 의역해 붙인 것이다. '넓은 들'이라는 뜻인 '널들(너다리, 너더리)'이 '판교板橋'가 된 이치와 같다.

▶ '들'에서 '다리'가 되기까지
들 > 덜 > 달 > 다리

판교 이야기가 나왔으니 판교에 대한 이야기를 해 보자. 앞에서 '달안'을 설명할 때도 언급했지만, 판교는 '넓은 들'이라는 의미의 '널다리' 또는 '너더리'로 불리던 곳이다. '널다리', '너더리'에서 '다리', '더리'는 원래 '들'을 의미하는 말이었다. '널다리'에서의 '널'도 '널빤지'를 뜻하는 말이 아니라 단순히 '넓음'의 뜻을 담은 것이었다. 판교낙생농협 홈페이지에서는 '판교'라는 이름을 다음과 같이 설명하고 있다.

판교동의 명칭은 서출동류西出東流하여 판교 앞을 흐르는 운중천에 널빤지로 다리를 놓고 다녀서 '널다리'라고 부르다가 '너더리'로 변했다. 이것이 한자로 '판교'라고 표기된 것이라고 한다.

아무튼 한자로 '판교'가 되면서 '넓은 다리'의 뜻을 담아 오랫동안 전해져 오더니, 그 이름처럼 이곳에 큰 다리나 다름없는 인터체인지가 들어섰다. 여기서 우리는 지명이 지닌 예언성을 실감하게 된다.

판교 근처 매지봉 밑의 이매동에는 '갓골'이란 마을이 있다. 이곳은 분당 시가지가 들어선 곳의 가장자리가 되니 '가(가장자리)의 고을'이란 뜻의 '갓골'이란 이름이 잘 맞아떨어진 경우이다. 거기서 멀지 않은 수내동은 원래 '숲안'이라고 불려 왔던 곳으로, 지금은 나무 숲이 아닌 아파트 숲으로 둘러싸여 있다. 어쨌든 숲이긴 숲이니 조금은 신기하다.

땅이름을 보고 앞날을 점쳐 온 이들은 성남시 분당 일대 시가지는 서쪽으로 뻗어 나갈 것이라고 했다. 우연인지는 모르지만 그 예상이 맞아떨어졌다.

판교 근처의 땅이름 중에 예언성을 띤 땅이름들을 살펴보자. '모두 많이 모이다'라는 뜻의 '모두만이'가 분당구 대장동에 있다. 한동안 뉴스에 많이 등장했던 대장동은 예전에 태릉, 능고개, 도장골, 모두만이, 아랫말, 웃말 등이 있는 전형적인 농촌이었다. 그러다 성남시가 이 지역을 2010년대 초부터 집중 개발을 하여 큰 아파트 단지로 발돋움했다. 외지인들이 많이 모이게 된 것이다. 이런 사실을 이곳의 '모두만이'라는 땅이름과 연관지어 보면 지명이 지닌 신비를 느끼지 않을 수 없다.

이곳 말고도 이 지역에서 지명의 신비를 느낄 만한 것이 더 있

○ ∧ □

다. 궁의 안뜰처럼 아늑한 곳이 될 것이란 뜻의 '궁안(궁내동)', '늘어나는 고을(마을)'이라는 뜻인 '는골(정자동)', '즐겁게 산다'는 뜻의 '낙생(운중동)' 등이다.

예산의 '삽다리'도 '다리'라는 땅이름을 갖게 되면서 이 지역에 여러 다리가 놓였다. 주로 삽교천을 따라 삽다리교, 충의교, 배나다리교, 수촌교 등이 놓였다. 삽교천은 그리 깊지 않아서 아주 옛날에는 이 지역에 다리가 많지 않았다.

'삽다리교'라는 이름은 좀 이상하다고 생각할 수 있다. '삽다리' 자체가 다리 이름인데, 그 뒤에 '다리'라는 뜻을 가진 '교(橋)'가 덧붙었으니 말이다. 그러나 알고 보면 전혀 이상할 것이 없다. '삽다리'란 이름은 다리 이름이 아니고, 단순히 이 지역에 있는 하나의 땅이름이기 때문이다.

삽다리는 전국 여러 곳에 있다. 경기도 파주시 동패동, 강원도 횡성군 둔내면, 춘천시 북산면, 충남 당진군 송악면 가교리 등이다. 서울 강서구 염창동에도 삽다리가 있는데, 역시 '사이의 들'이라는 뜻을 갖고 있다.

삽다리 축제의 중심 '섶다리놓기'

'삽다리'를 적당히 발음하면 '섶다리'가 되고 반대로 '섶다리'를 적당히 발음하면 '삽다리'가 된다. 글자로만 보면 모음과 받침 하나

차이지만 두 다리는 엄연히 다르다. '삽다리'는 그 다리가 놓인 곳에 따른 이름이지만, '섶다리'는 다리를 만든 재료에 따른 이름이기 때문이다.

어느 마을에나 크든 작든 물줄기가 있다. 쉽게 건널 수 없는 곳에는 다리가 놓이게 마련이다. 간단히 돌을 듬성듬성 놓아 만든 징검다리가 있는가 하면, 안전하게 교각을 만들어 놓은 큰 다리도 있다. 작은 냇가에 한두 개씩 늘씬하고 길쭉한 섶다리가 자리잡은 동네들도 있다.

옛날엔 동네 어르신들이 모여 짚을 엮어 지붕을 갈아 주는 행사를 하곤 했다. 한 해의 농사를 짓고 나서 초가지붕을 갈아 주는 일은 동네 사람들의 품앗이이기도 했다. 이 무렵에 대개 마을 앞 냇가에 다리를 적당히 놓거나 이미 놓았던 다리를 손보기도 했다. 이 '섶다리 놓기'는 해마다 여름 장마철 후에 볼 수 있는 마을 공동체

❯ 섶다리는 '섶을 얹어 만든 다리'라고 해서 '섶다리'인데 '삽다리'로 발음되어 혼동을 준다.

○ ∧ □

의 아름다운 모습이기도 했다.

예산군의 삽교읍에서는 가을이면 '삽다리 축제'를 벌이곤 하는데, 이 축제에서 가장 중요한 행사가 '섶다리놓기'이다. 삽교읍 고유의 문화 자원을 축제 콘텐츠로 활용해 활력 있는 삽교의 옛 모습을 재현하는 것이다. 주민 간의 화합과 소통의 장을 마련하고, 사라져가는 우리 전통문화를 소중하게 간직하고 보존하는 효과도 있다. 마을의 역사와 문화가 후대로 이어지는 데 큰 역할을 한다.

초가지붕과 섶다리는 수명이 거의 1년이다. 섶다리는 통나무와 흙으로 만들기 때문에 수명이 한 해를 넘기지 못하는 경우가 대부분이다. 홍수가 나면 섶다리는 대개 떠내려가곤 했다. 그래서 장마가 끝나고 물이 어느 정도 줄어들면 동네 어르신들이 모여 다시 나뭇가지를 베어다가 섶다리를 만들곤 했다.

섶다리에서 '섶'의 사전 풀이는 '잎나무, 풋나무, 물거리 따위의 땔나무를 통틀어 이르는 말'이다. 흔히 이 '섶다리'를 '삽다리'라고도 하는데, 여기서의 '삽'은 '섶'의 변화형이다. 우리 언어에서 '어'와 '아'는 발음상 넘나드는 일이 많다. '마리首'와 '머리頭'처럼.

'삽다리'와 '섶다리'는 음의 차이가 별로 없으나 그 뜻은 많이 다르다. 일부 사람들은 '삽다리'가 '섶다리'에서 나왔다고 말하기도 한다. '삽다리'보다 '섶다리'가 더 많이 알려져 있기 때문이다. 그러나 땅이름의 일반적인 정착 과정으로 볼 때 그렇게 해석하기에는 큰 무리가 따른다. 앞에서 지적했듯이 '삽'은 '사이間'의 뜻이고 '섶'은 그와는 전혀 다른 뜻이다.

• 친척말 •

삵, 삵바, 고삵, 사태삵, 사타구니, 삵삵이

• 친척 땅이름 •

삽다리, 삽들, 삽재, 삽령挿嶺, 삽거리, 삽골, 삽고개, 삽티, 삽골재

○ ∧ □

치악산에 수많은 지명을 남긴 태종

_ 강원도 원주시 치악산
_ 강원도 원주시 치악산 할미소, 횡가리치재
_ 강원도 원주시 행구동~횡성군 강림면의 대왕재, 원통재
_ 강원도 원주시 횡성군 강림면~소초면 수레너미

∧ ○ □

#구석 #구억 #공말 #꿩

흥망이 유수有數하니 만월대도 추초秋草로다
오백년 왕업이 목적牧笛에 부처스니
석양夕陽에 지나는 손이 눈물겨워 하노라

_원천석, 〈흥망이 유수하니〉

고려가 갔다. 사라진 고려를 원천석은 몹시도 그리워했다. 망
해 버린 나라에 대한 그리움은 그로 하여금 만월대를 찾게 했고, 석
양 아래서 눈물을 흘리며 〈흥망이 유수하니〉를 짓게 했다. 고려의

수절신守節臣 운곡 원천석은 고려가 망하고 이성계가 정권을 쥐자, 두 임금을 섬길 수 없다며 벼슬을 내려놓고 고향 강원도 원주의 치악산으로 내려갔다. 그는 치악산으로 숨어들면서 수백 년 후에도 불리는 수많은 땅이름을 낳게 될 것이라고 짐작이나 했을까?

치악산으로 숨어든 태종의 스승

원천석은 고려 충숙왕 17년(1330)에 원윤적의 둘째 아들로 태어났다. 그는 문장이 뛰어나고 학문이 해박했다. 원천석이 고향 원주로 돌아간 후의 일에 대해 이중환의 《택리지》에서는 다음과 같이 적고 있다.

원주는 두메와 가까워서 난리가 일어나면 숨어 피하기가 쉽고 한양과 가까워 세상이 편안하면 벼슬길에 나갈 수 있는 까닭에 한양 사대부가 여기에 살기를 많이 좋아한다. 동쪽에 적악산赤岳山(치악산의 전 이름)이 있다. 고려 말에 운곡 원천석이 이곳에 숨어 살면서 여러 제자들을 가르쳤다. 우리 공정대왕恭定大王(태종)도 총각 때 그에게 가서 배웠고 18세 때 과거에 합격했다. 이방원(태종)은 임금이 되기 전에 그에게서 글을 배웠다.

아버지 이성계를 도와 조선 개국에 결정적 역할을 한 이방원은 고려 말 충신인 정몽주의 심중을 떠보기 위해 〈하여가〉를 읊었다.

　　　　이런들 어떠하리 저런들 어떠하리
　　　　만수산 드렁칡이 얽혀진들 어떠하디
　　　　우리도 이같이 얽혀져 백 년까지 누리리

　　뛰어난 그의 문장력은 스승 원천석의 영향을 받은 것이었다. 이방원은 젊었을 때도 스승 원천석을 잊지 않았지만, 왕위에 오른 뒤에는 더욱 그를 그리워했다. 스승에게 관직을 맡겨 조선의 사직을 잇게 하려고 한 것이다.

　　그러나 원천석은 단호히 이를 거절했다. 새 왕조의 개국공신이 되어 영화를 누리느니 초야에 묻혀 조용히 지내고 싶었다. 아니, 고려조를 뒤엎기 위해 칼을 망설임 없이 꺼낸 제자 이방원이 보기 싫었을지도 모른다. 치악산에 숨은 그가 여러 번 벼슬을 권해도 받아 주지 않자 태종은 마침내 그를 만나러 원주로 향했다. 개인적으로는 제자가 스승을 찾아뵙는 길이었지만, 귀한 임금의 신분으로 초야에 묻힌 촌로를 찾아 몸소 발걸음하는 것이었다. 그러나 삼백리 길을 마다하지 않고 달려간 임금은 스승을 만날 수 없었다. 이 일을《택리지》에서는 이렇게 적고 있다.

태조가 위화도에서 군사를 이끌고 돌아온 다음, 왕 E씨로부터 왕위를 물려받을 징조가 보이자 운곡은 글을 지어 간했다. 얼마 후에 공정대왕이 등극하고 적악산에 행차하여 운곡을 방문했다. 그러나 운곡은 미리 피해 보이지 않고 다만 옛날부터 밥을 짓던 늙은 할미만 머물러 있었다. 임금이 선생의 간 길을 물으니 할미는 태백산에 친구를 찾아갔다고 대답했다. 임금은 할미에게 많은 상을 주고 운곡의 아들을 기천沂川 현감으로 제수하는 관고官誥(사령장)를 두고 떠났다.

_이중환,《택리지》

그런데 원천석에게도 옛 제자에 대한 미련이 남았던 것일까? 태종이 자신을 찾아 헛걸음만 하고 돌아간 다음, 그는 제자의 마음을 달랠 겸 궁궐을 찾았다. 그때의 일화가 전설로 전해져 온다.

원천석이 궁궐 안으로 들어가려 하자 궐문을 지키던 수문장이 그를 막았다. 옷차림을 보고 변변찮은 선비쯤으로 여겼던 모양이다. 원천석은 수문장에게 말했다. "들어가 여쭤라. 대왕께서 나를 스승의 예로 맞으시겠다면 여기까지 나와 맞을 것이요, 신하로서 만나시겠다면 입궐을 허락하실 것이다."

수문장이 말을 전하러 갔는가 했는데, 어느 틈에 태종이 대궐문 앞까지 한걸음에 달려왔다. 다른 수문장의 말을 듣고 스승이 찾아왔음을 직감한 것이다. 오랜만에 만난 두 사람은 나라 안팎 사정과 원천석의 벼슬 문제를 논했다. 원천석은 고향에서 여생을 보내겠다는 뜻을 분명히 밝혔다. 그는 후에 고려 말, 조선 초의 사정을 자세히 서술한 야사野史를 썼다. 그러나 훗날 그의 자손들이 후환을 두려워해 이를 불살랐다고 한다.

왕이 걸음한 곳마다 생겨난 땅이름

태종이 원천석을 찾아왔던 치악산 일대에는 태종에 얽힌 땅이름이 무척 많다. 치악산 동쪽 골짜기인 지금의 강원도 횡성군 강림면 강림리의 '태종대'는 태종이 스승을 찾다가 지쳐 쉬었다는 것에서 나온 이름이다. 태종이 여기서 쉬며 바위 밑 웅덩이에서 빨래하는 노파를 보고 원천석의 행방을 물었다. 그러나 미리 원천석의 부탁을 받은 노파가 엉뚱한 곳을 가리켜 태종이 헛수고를 했다.

그 옆의 '할미소'는 그 할머니가 빠져 죽었다는 곳이다. 엉뚱한 길을 알려 줘 태종이 헛수고를 하고 돌아오자, 할머니는 치마 두른 여인의 몸으로 임금을 속인 죄는 죽어 마땅하다며 웅덩이에 몸을 던졌다는 이야기가 전해 온다. 또 임금 앞에서 딴 곳을 가리켰다 하여 '횡가리치재'라는 이름이 나왔는데, 지금의 횡성군 강림면 가마골의 횡지암이 그곳이다.

원주시 행구동에서 횡성군 강림면으로 넘어가는 고개인 '대왕재'는 태종이 쉬어 넘었다는 것에서 붙은 이름이다. 강림면에서 원

❯ 입석대는 치악산 서
쪽에 네모진 돌기둥
모양의 큰 바위이다.

© 수용산들산악회

주시 소초면으로 넘는 고개 이름인 '수레너미'는 태종이 수레를 타
고 넘은 곳이라고 한다. 또, 운곡이 만나 주지 않아 원통하다면서
태종이 탄식하며 넘었다는 '원통재'라는 고개도 있다.

　　치악산 서쪽 골짜기에는 '입석대立石臺'라는 네모진 돌기둥 모
양의 큰 바위가 솟아 있다. 이 입석대는 태종이 운곡을 찾기 위해
골짜기를 지나다가 하늘을 찌를 듯 솟아 있는 묘한 바위를 바라보
느라 발길을 못 돌리고 오래 머물던 곳이다. 입석대 밑의 좁고 어두
운 골짜기에는 지금도 돌이 많고 비탈이 험한 작은 길이 나 있는데,
이 길은 태종이 원천석을 찾기 위해 지나간 곳이라고 전한다.

태종에 얽힌 일화가
수많은 땅이름을 남긴 치악산

　'치악산'이라는 이름에도 살펴볼 땅이름이 있다. 치악산은 높이 1,282미터, 태백산맥의 오대산에서 남서쪽으로 갈라진 차령산맥의 줄기로 영서지방의 명산이자 원주의 진산이다. 남북으로 웅장한 치악산맥과 산군山群을 형성하고 있다. 주봉인 비로봉을 중심으로 여러 봉우리를 연결하며 그 사이에 깊은 계곡들을 끼고 있다.

　조선시대에는 오악 신앙(우리나라의 이름난 5개 산에 대한 신앙)의 하나로 동악단을 쌓고 인근의 5개 고을 수령이 매년 봄가을에 제를 올렸다. 원주·횡성·영월·평창·정선 등의 지역이었다. 이 산은 원래 단풍이 들면 산 전체가 붉게 변한다 하여 '적악산赤岳山'이라 불렀다. 이 산에는 한 전설이 전해 내려온다. 뱀에게 잡아먹히려던 꿩을 구해 준 나그네가 위험에 처하자, 꿩이 은혜를 갚아 나그네의 목숨을 지켰다는 전설이다. 이 전설에 따라 '치악산'으로 이름이 바뀌었다고 한다.

　전설대로 꿩 때문에 치악산이라고 했을까? 우리 땅이름의 보편적인 정착 과정으로 볼 때 이것은 믿기지 않는다. '치악산'이라는 이름이 붙기 이전부터, 또 '적악산'이라는 이름을 쓰기 전부터 이 산에는 이름이 있었을 것이다. 그것은 일반 평민들이 부르는 보통명사 형태의 이름이었을지 모른다. 그냥 '큰 산' 또는 '험한 산'이라는 식으로 말이다.

치악산의 '치雉'에 중점을 두고 짐작해 보면 '꿩'과 유사한 어떤 이름일지도 모른다. 그러나 우리 땅이름은 꿩과 관련 있다고 '꿩뫼', 곰과 관련 있다고 '곰말'과 같이 붙는 일은 거의 없다. 그런 이름이 붙기 이전부터 어떻게든 부르던 이름이 있었을 것이다.

'꿩' 자가 붙은 땅이름은 거의 '구석'과 관련이 있다. '꿩'과 '구석' 두 말의 음운상 연관 관계를 따져 보면 그럴 만한 이유가 나온다. '구석말, 구석매, 구석마루, 구석내……' 이 이름들의 다른 이름들은 '구억말, 구억매, 구억마루, 구억내……'이다. 여기서 '구억'은 '구석'의 방언이자 옛말이다.

'구억말' 중에는 '구엉말'이나 '공말'로 옮겨 간 것이 많다. 경기도 여주시 오학동의 '공말'도 '구석말'이 그 바탕이다. 이 '공말'은 다시 '꽁말(꿩말)'로 전음되기도 한다. 이런 현상을 경음화라고 한다.

▶ ㄱ에서 ㄲ으로 전음화
구억말(구석말) 〉 구엉말 〉 공말 〉 꽁말 〉 꿩말

'구석(가장자리)에 있는 산'이란 뜻에서 나온 '구억매'가 '구엉매'로 되고, 또 '공매'로 변했다가 '꽁매(꿩매)'가 될 수 있다는 이야기이다. '구석말'의 변형이 날짐승의 '꿩말'까지 가다니 어찌 보면 재미있기도 하다.

이 '꿩매'를 한자로 의역하면 어떻게 될까? '치산雉山'이나 '치악雉岳'이 될 수 있지 않을까? 원주 고을 사람들이 고을 가장자리(구석)

○ ∧ □

에 있는 이 산을 '꽁매(꿩매)'라고 했을지 모르고, 이를 나중에는 '치악雉嶽'이라는 멋진 한자 이름으로 적었을지 모른다. 결론적으로 말하면 '치악산'이란 이름은 전설 속의 꿩과는 아무 관계가 없다.

● 동물 이름에서 유래했다고 오해하기 쉬운 땅이름

가잿말: '가장자리 마을'이라는 뜻

곰나루: '검'에서 '곰'으로 변화. '검'은 '큰'이라는 뜻. 큰 나루

까치울: 갓+울 〉 갓이+울 〉 가지울 〉 까치울. 가장자리 마을

꽁말: 구억+말 〉 구엉말 〉 꽁말(꽁말). 구석의 마을

노루고개: '너르'가 '노루'로 변화. 너르+고개. 늘어진 고개

매봉: 뫼山+봉. 매 = 산山. '매'는 새 종류가 아님

말골: 말+골. 큰 마을, 큰 골짜기

뱀골: 벤+골 〉 벤골 〉 뱀골. 비탈이 심한 골짜기

벌고개: '벌'은 '들'의 뜻. 벌판 가의 고개

범개: 번(벋은)+개, 범개. 벋어 내린 내

수릿골: 수리(꼭대기)+골. 꼭대기 마을

제비울: 좁이 〉 조비 〉 제비. 좁은 골짜기 마을

조개우물: 조개(족애)+우물. '족(좁)'은 '작음'의 뜻. 작은 우물

• 친척말 •

구억(구석), 뫼(매), 수리(정수리), 좁쌀, 작다(좁다)

• 친척 땅이름 •

꽁매, 꿩너미, 꿩논, 꿩마, 꿩매, 꿩머리

○ ∧ □

셋째 마당

곰달내와
아우라지 사이

'큰 들판의 내',
검달래가 곰달내로

_ 서울시 양천구 신월동 곰달내
_ 충남 공주시 웅진동 곰나루

#검 #감 #곰 #달내

우리 땅이름에는 동물 이름이 들어간 것이 매우 많다. 곰, 노루, 가재 등이 대표적이다. 그러나 그 이름의 본래 뜻을 보면 동물과는 관계없는 것이 대부분이다. 원래는 다른 뜻으로 붙여진 이름이 세월이 지나면서 발음상 모음이 변하거나 음절의 연결 관계에서 자음이 동화되어 변화하다 보니, 동물과 관련 있다고 느껴지는 것이다.

앞에서 살펴본 바와 같이 '가장자리'라는 뜻으로 붙여진 '가재말'이 '가재'와 관계있는 이름처럼 변했다. '땅이 늘어졌다'는 뜻으로 붙여진 '너르목(널목)'은 '노루목'이 되어 '노루의 목'과 연관된 이름처럼 변했다. '곰'과 관련된 것처럼 여겨지는 땅이름들도 마찬가지인데, 이번에는 그런 지명을 지닌 곳을 찾아가 보자.

큰 들판의 내, '검달내'에서
'곰달내'가 되기까지

곰이 달렸다는 들판이 있다. 서울 양천구 신월동이다. 그런데 이 지역 이름이 생긴 유래를 다르게 주장하는 사람도 있다. 달빛이 비친 내가 들을 지난다며 '고운 달빛이 비치는 내'라 하여 '곤달내'가 되고, '곰달래'로 변했다는 것이다. 이 주장이 과연 맞는 것일까?

결론부터 말하자면 '곰달내(곰달래)'라는 이름은 이런 뜻에서 나온 것이 아니다. '큰 들판의 내'라는 뜻의 '검달내'가 '곰달내'로 변한 것이다. 일제가 1914년에 만든 지도를 보면 이 지역 지명을 한자로 '고음월리古音月里'라고 써 놓고, 그 옆에 일본 글자로 '고우무다루리'라고 적은 것이 보인다. 이것은 '곰달리'를 표기한 것이다. '검', '감', '곰' 등은 땅이름에서 '큰'이라는 뜻을 나타내는 경우가 많다.

옛 지도에서는 이곳을 한자로 '고음달내古音達乃'라고 적혀 있다. 재미있는 것은 '곰' 자를 한자로 적을 수 없어서 이를 '고음古音'이라고 적었다는 사실이다. '달내'는 그대로 음차해 '달내達乃'라고 적었다. 《대동여지도》 등 우리나라 옛 지도에서는 이처럼 글자를 조합해서 적는 일이 많았다.

❯ '곰', '달'의 표기 변천 과정

곰 > 古音(고음) > 達(달)

달 > 達

곰(검) > 新(신)

달 > 月(월)

옛 지도에서 '신월동新月洞'이라는 이름도 근처 '신당리神堂里'의 '신'과 '고음월'의 '월'을 합성해서 지은 것이다. 지금 신월동을 지나는 길 이름이 곰달래길이다. 사실 '곰달래'라고 적은 것도 잘못이다. '곰달래'가 진달래의 사촌쯤 되는 식물 이름으로 생각해 그렇게 붙였는지는 모르지만 '곰달내'라고 해야 한다. 이름에 '곰' 자가 들

❯ 일제 초기 지도에 보면 찾은 고음월리(네모 안)가 나온다. 고음월리古音月里는 '곰달내'의 한자식 표기이다.

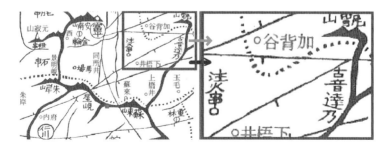

어갔으니 곰과 관련이 있는 이름일 것이라고 생각할 수 있다. 그러나 이 이름은 곰과는 아무런 관련이 없다.

▶ '검달내'가 '곰달내'로

검+달+내 = 검달내 > 곰달내

여기서의 '검'은 '큰'이라는 뜻이고 '달'은 '들'이라는 뜻이다. 따라서 이 이름은 '큰 들판의 내'란 뜻이 된다. 지금의 신월동의 '월川'은 곰달내의 '달'의 뜻을 빌린 것이다.

곰나루의 전설

충남 공주 '곰나루'의 '곰'도 마찬가지이다. 곰나루는 한자로는 '웅진熊津'인데, 이름을 보면 꼭 곰熊과 관련이 있는 듯 보인다. 심지어 이 지역에는 곰과 관련된 전설까지 전해 내려온다.

한 나무꾼이 산에서 늦게 내려오다가 한 여인의 유혹을 받는다. 여인의 미모에 반한 나무꾼은 여인과 결혼하고 여인이 살던 굴에서 함께 살게 된다. 그런데 얼마 후 아기를 낳고 보니 아기의 몸에 짐승의 털이 나 있었다. 이상해서 잘 살펴보니 그것은 곰의 털이었고, 그 털은 어미인 여인의 털과 같은 것이었다.

결국 아름답게 변장한 곰에게 넘어가 결혼한 것을 후회한 나무꾼은 몰래 굴에서 도망쳐 나와 그 앞의 금강을 건넜다. 이를 본 아내인 곰이 다시 돌아오라고 소리쳤지만 나무꾼은 끝내 도망쳐 버렸다. 이에 실망한 곰 아내는 곧바로 아기 곰을 강물에 던지고 자신도 강물에 몸을 던졌다. 그 곰들의 시체가 며칠 동안 강물에 둥둥 떠다녔다고 한다. 그 후로 이 강을 '곰나루'라 부르고, 한자로 '웅진'이 되었다는 것이다. 참 그럴싸한 내용의 전설이다. 그러나 이것은 전설일 뿐 곰나루는 '곰'과는 아무 관련이 없다.

◉ '검나루'가 '곰나루'로

검+나루 = 검나루 > 곰나루

우리 조상들은 전설을 참 잘 만들어 낸다. 전설은 고달픈 삶을 살아가는 사람들에게는 작은 위안을 주는 무형의 자산이기도 했다.

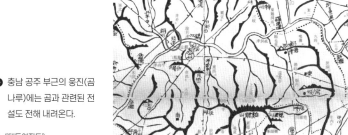

❶ 충남 공주 부근의 웅진(곰 나루)에는 곰과 관련된 전설도 전해 내려온다.

© 《대동여지도》

"이러이러해서 그 이름이 나왔답니다." 예전의 한 라디오 프로그램인 '전설 따라 삼천리'는 많은 청취자들에게 큰 인기를 얻었다. 전설을 듣다 보면 어느 순간 몰입해 그 전설이 진실이건 거짓이건 자신이 그 전설의 주인공인 것처럼 몰입하기도 했고, 거기서 용기와 힘을 얻기도 했다.

전설은 내용에 살이 붙으면서 제법 탄탄한 이야기 구조를 갖기도 했다. 땅이름 전설도 마찬가지다. 곰나루 전설도 곰 때문에 이름이 붙었다는 식으로 출발했을 것이다. 재미를 더해 나가다 보니 이야기가 사실처럼 확대됐을지도 모른다. 이야기를 들려주는 사람은 더 멋진 이야기를 만들어 내게 되고 이야기가 전해지는 동안에 살이 붙는 것은 자연스러운 일이었다. '전설 따라 삼천리'가 되는 것이다.

전설을 믿는 사람들은 이름의 어원 풀이를 부정하는 경우가 많다. 특히 우리말 지식이 적은 사람들은 더욱 그렇다. 그래서 땅이름 학자들은 어쩔 수 없이 전설과도 부딪쳐 싸워야 한다.

○ ∧ □

• 친척말 •

갓(가장자리)

• 친척 땅이름 •

검내, 곰내, 곰말, 몽촌夢村, 공마루, 공말, 꽁말

추풍령, '서늘함'과 '떠남'을
떠올리게 하는 '추풍'

_ 서울시 용산 찬바람재

∧ ○ □

#찬바람재 #갓 #파름 #보름

"온갖 비리로 그들 모가지가 추풍낙엽秋風落葉처럼 다 날아갔잖나!"

"허, 이젠 그들도 추풍삭막秋風索莫이구만."

"그러길래 아무리 작은 민초의 소리라 해도 추풍과이秋風過耳하지 말았어야지."

"에이그, 이젠 가졌던 것도 다 추풍선秋風扇 꼴이지 뭐."

정치 이야기에 웬 추풍秋風 타령일까? 그 본뜻이 뭐길래 썩은 정치판의 한 단면을 '추풍'에 빗대는 것일까?

○ ∧ □

'추풍낙엽秋風落葉'은 '가을바람에 떨어지는 나뭇잎'이라는 뜻으로 '세력 따위가 갑자기 기울거나 시듦'을 이르는 말이다. '추풍삭막秋風索莫'은 '가을바람이 삭막하게 분다'는 뜻으로 '예전의 권세는 간곳이 없고 초라해진 모양'을 이르는 말이다. '가을철의 부채'라는 뜻의 '추풍선秋風扇'은 제철이 지나서 '아무 쓸모 없이 된 물건'을 비유하는 말이고, 가을바람이 귀를 스쳐 간다는 뜻의 '추풍과이秋風過耳'는 '어떤 말도 귀담아듣지 않음'을 일컬어 써 왔다.

이처럼 추풍은 시들거나 초라한 모습을 표현하는 데 적합해 정치 상황에도 많이 쓰인다. 그렇다면 땅이름에서 추풍은 어떻게 나타날까?

떠남의 아쉬움이 배어 있는 추풍령

춘풍春風, 즉 '봄바람'이란 말이 '훈훈함', '찾아옴'의 느낌을 준다면, '가을바람'을 뜻하는 추풍秋風은 이와는 반대로 '서늘함', '사라짐'의 느낌을 안겨 준다. 그래서 땅이름에 '추풍'이 들어가면 '서늘함'이나 '떠남'을 떠올린다. '추풍령'을 넘으며 불러봄 직한, '구름도 자고 가는 바람도 쉬어 가는 추풍령 굽이마다' 하고 시작되는 가요 〈추풍령 고개〉 가사에도 떠남의 아쉬움이 배어 있다.

추풍령은 경북 김천시 봉산면과 충북 영동군 추풍령면의 경계가 되는 고개이다. 이곳은 해발고도 221미터로 백두대간의 한 허

❯ 백두대간의 한 허리
를 넘는 준령인 추풍
령의 산 굽잇길이다.

리를 넘는 준령이다. 낙동강 지류인 감천과 금강 지류인 송천의 첫 줄기가 고개의 양 비탈 골을 타고 흘러내린다. 이 고개가 있는 면의 이름은 원래 황금면이었는데, 1991년에 이름을 '추풍령면'으로 바꾸었다.

이곳이 예로부터 영남과 중부지방을 잇는 교통의 요지였다. 천안, 목천, 청주, 보은, 청산, 황간, 김천으로 이어지는 옛길이 이 고개를 지나고, 근처에 추풍역이 있는 것만 보아도 잘 알 수 있다. 지금도 경부선 철도와 경부고속도로 및 4번 국도가 통과하고 땅속으로는 경부고속철도가 통과하고 있다. 한반도의 중심에서 교통의 요지로 중요한 역할을 하고 있다.

군사적 요충지이기도 한 추풍령은 임진왜란 때 의병장 장지현이 의병 2천여 명을 모아 관군과 합세해 1만여 명의 왜군과 싸우다가 장렬히 전사한 곳이다. 이곳에는 장지현 장군의 뜻을 기리기 위해 세운 순절비가 있다.

조선 중기의 장지현 장군은 신립 장군의 부장이 되고 나서 이 듬해 사헌부 감찰이 되었으나 곧 사직하고 고향으로 돌아왔다. 장 군은 임진왜란이 일어나자 의병을 일으켜 추풍령에서 왜적과 싸 워 상대를 김천 방면으로 물리쳤다. 그러나 금산 방면에서 적의 협 공을 받아 전사했다. 장군의 순절비는 고종 1년에 송환기가 비문을 지어 세웠으나, 일제강점기 때 매몰되었다가 지금의 자리로 다시 옮겨 왔다.

추풍령은 고갯길이 길고 험준한 고개였다. '령' 자가 붙은 고개 이름은 주로 백두대간에 걸쳐 있는데, 대부분 길고 높은 고개이다. 대표적인 것으로 대관령, 진부령, 미시령, 조령, 죽령 등이 있다.

'풍風', 땅이름에선 '바람'이 아닐 수도 있다

'추풍령'이란 땅이름의 유래는 쉽게 찾아볼 수가 없다. 더러는 '바람'과 관련해 이름의 유래를 설명하는데 그 내용에 선뜻 고개를 끄덕이기는 어렵다. 근처에 있던 추풍역秋風驛, 秋豊驛의 이름을 따라 고개 이름이 붙었다고도 하지만, 이 역시 고개 이름이 먼저인지 역 이름이 먼저인지 알 수 없다. 나름대로 이 고개의 이름을 어원적으 로 더듬어 볼 수밖에 없는데, 어쩌면 지나친 비약이 될 수도 있어 이 글을 쓰기에 무척 조심스럽다.

전국에는 '풍현'이나 '풍치'처럼 '풍風' 자가 들어간 땅이름들이 많은데, 이들의 토박이 이름을 보니 거의 모두가 '바람재'였다. 전국에 '바람재'라는 이름을 지닌 곳은 전남 강진군 군동면 장산리, 전남 곡성군 죽곡면 삼태리, 보성군 미력면 초당리, 순천시 삼거동, 순천시 상사면 도월리, 신성리, 화순군 청풍면 이만리, 충북 충주시 수안보면 수회리 등이다. 또 '풍현', '풍산' 등의 이름이 경남 산청군 산청읍 내리, 경북 경주시 외동면 제내리, 충남 천안시 입장면 도림리 등에 있는데, 이들 역시 '바람재', '바람이재', '바람산' 등의 토박이 이름을 지니고 있다.

지명에서 '풍風'을 '바람'으로 풀이하는 것은 당연할 수 있다. 그런데 문제는 '풍'이 들어간 그 많은 고개나 산의 지명들이 과연 '오로지 바람과 연관해서 붙여진 것일까?' 하는 점이다. 이런 궁금증을 해결하기 위해 '바람'의 본말(옛말)과 이 지명들의 얽힌 관계를

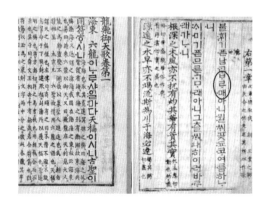

❯ '바람의 옛말 '보룸'은
   《용비어천가》에도
   나온다.

살펴볼 필요가 있다.

　‘바람’의 옛말은 ‘ᄇᆞᄅᆞᆷ’이다. ‘ᄇᆞᄅᆞᆷ’은 ‘바람’이라고 읽을 수 있지만, ‘보름’ 또는 ‘부름’에 가까운 발음으로 읽을 수 있다. ‘바람’의 옛말이 등장하는 문헌을 살펴보자.

　　블휘 기픈 남ᄀᆞᆫ ᄇᆞᄅᆞ매 아니 뮐쌔

_《용비어천가》 2장

　　매온 ᄇᆞᄅᆞ미 하도다多烈風

_《두시언해》 권18 12

제주도에선 ‘바람’을 ‘보름’이라고 한다

　바람 이야기에서 빠질 수 없는 지역은 제주도이다. 예로부터 제주에는 바람과 돌, 여자가 많다고 하여 ‘삼다도’라고 불리기도 하지 않는가. ‘바람’이 등장하는 제주 북동부 산간지역의 민요를 살펴보자.

　　가을 보름이 건드렁하난

촐도 비엄직하구나

비소금 가탄 내 호미들아

몰착몰착 비어 나간다

보름아 보름아 불 테면

하늬보름으로 불어 오라.

_제주도 민요 〈촐 비는 소리〉

〈홍애기 소리〉라고도 하는 이 민요에서 '촐'은 '꼴'을 말하고, '하늬보름'은 '하늬바람'을 말한다. 우리의 옛말이 많이 살아 있는 제주도에서는 이처럼 '바람'을 '보름'이라고 한다. 이런 현상은 호남 방언에서 주로 나타난다. 아주 옛날에는 제주도나 호남뿐 아니라 다른 지방에서도 '바람'을 '보름'이라고 했다. 특히 '아' 모음이 '오' 모음으로 많이 변한 호남지방에서 더욱 두드러진다. 예를 들면 '파리'를 '포리', '팥죽'을 '폳죽', '팔'을 '폴'이라고 하는 식이다.

바람은 부는 방향이나 세기에 따라서 이름이 각각 다르다. 샛바람, 하늬바람, 마파람, 높새바람, 눈꽃바람 등 바람의 이름은 너무도 많다. 다양하고 재미있는 바람의 이름들을 한번 보자. 단, 바람의 이름은 지방마다 조금씩 다를 수 있다.

❷ 부는 방향에 따른 바람 이름

새파람(샛바람): 동풍('새'가 동쪽을 가리킴, 주로 뱃사람들이 부름)

앞바람: 앞은 남쪽을 말함(주로 뱃사람들이 쓰는 은어로 남풍을 이르는 말)

샛바름(새파름): 농가에서는 '동부새'

하늬바람, 갈바람: 서풍

늦바람: 서풍(전라도, 충청도, 주로 뱃사람들이 쓰는 은어로 '느리게 부는 바람'을 이르는 말)

북새: 서풍(경기도, 경상도에서 북풍을 이르는 말)

가수알바람: 서풍(주로 뱃사람들이 부름)

윗바람: 서풍(연을 위쪽으로 떠오르게 한다 해서 붙은 이름)

마파람, 앞바람: 남풍('마'는 남쪽을 가리킴)

샛마바람: 동남풍('새'는 동쪽, '마'는 남쪽을 가리킴)

갈마바람, 늦하늬바람: 서남풍('갈'은 서쪽을 가리킴)

된바람, 뒷바람: 북풍('된', '뒤'는 북쪽을 가리킴)

높새바람, 된새바람: 동북풍

높하늬바람: 서북풍('높'은 북쪽, '하늬'는 서쪽을 가리킴)

북새바람: 북풍(경기도, 경상도에서 북풍을 '북새'라 하고 평안도에서는 북풍을 '하늬'라고 한다)

세바람: 서남풍(북한)

◗ **센 정도에 따른 바람 이름**

가는바람, 솔바람: 약하게 솔솔 부는 바람

실바람: 아주 약하게 부는 바람

날파람: 요란한 소리를 내며 부는 바람

눈꽃바람: 눈꽃을 날리며 부는 바람

명지바람: 보드랍고 화창한 바람

강쇠바람: 첫가을에 동쪽에서 불어오는 센 바람

매운바람: 살을 엘듯이 몹시 찬 바람

모진바람: 방향이 일정하지 않으면서 거세고 세찬 바람

큰바람: 가는 나뭇가지가 부러지고 걷기 힘들 정도의 바람

큰센바람: 굵은 나뭇가지도 부러지고 건물에 피해를 주는 바람

왕바람: 건물에 큰 피해를 주는 바람

노대바람: 간간이 나무뿌리가 송두리째 뽑히는 정도의 바람

고추바람: 살을 에는 듯 매섭게 부는 차가운 바람

싹쓸바람: 육지의 모든 것을 싹 쓸 정도의 바람

황소바람: 좁은 틈으로 세게 불어드는 바람

소소리바람: 이른 봄에 살 속으로 스며드는 듯한 차고 매서운 바람

'바람'은 우리말 '불다'와 관계있다

'바람'이란 말은 우리말의 '불다'라는 말과 관계가 있다. '울다'에서 '울음'이란 말이 '웃다'에서 '웃음'이란 말이 나온 것처럼, '불다吹'에서는 '불음'이라는 말이 나올 수 있다. 이 '불음(부름)'이 변한 말이 '볼음(보름)'인데, 이 말이 서울이나 경기도 일대에서는 특유의 말 습관에 따라 '바람'으로 자리잡게 되었고 표준말이 되었다.

그런데 '바람(보름)'이 다른 음절이 앞에 오면 '파람(포름)'이 되

기도 한다. '남풍南風'이 '마파람(마포름)', '동풍東風'이 '새파람(새포름)'이 되는 것이다. '휘파람'의 '파람'도 마찬가지다.

'추秋'를 '가을'의 옛말 '가슬'로 보고, 이의 뿌리말 '갓'을 붙이면 '추풍'은 '갓파름'이 된다. 결국 '가을바람'을 뜻하는 '추풍秋風'은 '갓파람(갓파름)'이다. '갓파름'과 발음이 같은 '가파름'은 '가파르다(비탈이 급하다)'의 명사형이므로, '가파름재'는 한자로 '추풍현秋風峴' 또는 '추풍령秋風嶺'으로 옮겨질 수 있다. 즉, 추풍령은 '가파름재'이고, '가파른 고개'라는 뜻일 것이다.

> ### 🔵 '가파름재'는 '가파름'에서 온 말
> 갓秋＋파름風＋재嶺 ＝ 가파름재(추풍령秋風嶺)

바람이 차게 부는 고개, 찬바람재

같은 바람이라도 평지에서 부는 바람과 산지에서 부는 바람은 느낌이 다르다. 특히 겨울바람이라면 산지 바람이 무척 차가울 것이고, 그렇게 차가운 바람이 자주 부는 고개라면 바람이 찬 고개라고 말할 것이다. 바람과 관련된 땅이름은 한두 개가 아니다. '바람골', '바람고개', '바람재' 등이 그 예로 모두가 바람이 많이 부는 곳이라 하여 붙은 이름들이다.

서울 용산구에는 '찬바람재'라는 고개가 있다. 옛 지도에서 보

● 삼각지와 용산구청
사이에 있는 서울 용
산구 찬바람재이다.

면 남도로 가는 길 어름에 작은 고개가 하나 보이는데, 바로 '찬바람
재'이다. 이 고개는 지금의 녹사평역 근처 고개로 남산과 그 남쪽 둔
지산과 이어지는 지맥의 안부(능선이 말안장처럼 움푹 들어간 부분)이다.

이 찬바람재는 한자어로 '한풍현寒風峴'이라고 하는데, 바람이
차게 부는 고개라 하여 붙은 땅이름이다. 지금의 구용산(원효로 일
대)에서 한강 남동쪽으로 가려면 꼭 넘어야 하는 고개이다. 통행량
은 그다지 많지 않았지만, 근처 둔지산 아래 둔지미 마을이나 한강
로 쪽의 새풀이(새푸리) 마을 등에 사는 용산 사람들이라면 익히 아
는 고개였다. 그러나 일제강점기에 이 일대가 군사 기지가 되고, 일
반인들의 통행이 어렵게 되자 사람들의 기억에서 잊혀갔다.

이 고개 근처에 생긴 '녹사평역'을 '찬바람재역'으로 했더라면
좋았을 것이라는 생각이 든다. 우리의 옛 땅이름이 우리 곁으로 다
시 돌아오도록 하기 위해서는 새로 들어서는 시설물에 옛 이름을

살려 붙이는 것이 무엇보다 중요하다.

'녹사평역綠莎坪驛'이란 이름이 나오게 된 배경을 알고자 했으나 알 수가 없었다. 혹시 옛 땅이름인가 싶어 여러 자료를 찾아보아도 어느 곳에서도 이 이름은 나오지 않았다. '녹사평'의 한자 뜻을 굳이 새긴다면 '푸른 풀이 무성한 들판'인데, 역이 위치해 있는 '찬바람재'라는 고갯마루의 지형과는 너무도 거리가 먼 이름이다.

알아보니 이 이름은 역이 들어섰을 당시에 역명을 의뢰받은 용산구의 지명위원회의 한 사람이 제안한 이름인데, 아무 뜻도 모르는 위원들이 그대로 통과시켜 역 이름으로 정해졌다고 한다. 많은 이들이 두고두고 부를 이름을 아무 근거도 없이 정하다니 참으로 어처구니가 없다. 이렇게 출처 불명의 이름이 남게 되어 너무나 아쉽다. 역이나 공원처럼 많은 사람들이 이용하는 공간의 이름을 지을 때는 꼭 땅이름 전문가의 의견을 참고해 줬으면 좋겠다.

• 친척말 •

휘파람, 날파람, 새파람(동풍), 마파람(남풍), 불음(ᄇᆞ름, 제주 방언),
불다-불으다(부르다), 직통바람('직풍'의 북한말), 열바람('열풍'의 북한말)

• 친척 땅이름 •

마파람골, 바람골, 바람들, 불암평佛岩坪, 풍곡風谷, 바람실, 풍실風室, 바람말,
풍촌風村, 바람고개, 풍령風嶺, 바람재, 풍치風峙, 바람부리, 풍취風吹

한탄강, 얼마나 많은 이들이 한탄했을까?

_경기도 연천 한탄강

_서울시 중랑천

_대전시 한밭

_서울시 강남구 대치동 한치

∧ ○ ☐

#한 #한내 #한여울 #한밭 #한티 #황골

우리말에는 '한'이라는 말이 들어간 말이 매우 많다. 한숨, 한길, 한가위 등이다. 이런 말에서 '한'은 모두 '큰'이라는 뜻이다. 땅이름에서도 '한'이 '큰'이라는 뜻으로 들어간 것이 적지 않다. 우선 중랑천의 다른 이름인 '한내'도 '큰 내'라는 뜻이다. 긴 내라면 어느 내나 마찬가지지만, 서울의 중랑천도 상류와 하류 지역에서 부르는 이름이 각각 달랐다. 중랑천 상류의 도봉동 부근에서는 옛날에 이 내를 '서원천_{書院川}'이라고 했다. 그러나 지금의 서울 상계동 부근에서는 '샛강' 또는 '한내'라고 부른다.

○ ∧ ☐

'한'이라는 말은 우리 조상들이 즐겨 쓰던 중요한 우리말이다. 이 말에 정말 많은 뜻이 숨어 있기 때문이다. '하나'라는 뜻 외에 '큰', '높은', '깊은', '거룩한', '신성한', '오래가는' 등 그 뜻이 무한정으로 뻗어 나간다.

'한내'는 '한천漢川' 또는 '한계漢溪'로 표기

'한내'는 한자어로는 '한천漢川'이라고 쓴다. 그래서 이 부근을 지나는 길 이름이 '한천로'이다. 한내는 강원도로 가는 사람들이 옛날 한양 도성을 나와 반드시 첫 번째로 건너야 하는 냇줄기였다. 예로부터 여름에 크게 불어난 냇물은 지방으로 가는 나그네의 발길을 몇 날 며칠씩 묶어 놓기도 했다. 그러나 이 물줄기는 이 유역에서 농사를 짓는 사람들에게는 더없이 고맙고 좋은 것이었다.

지금의 상계동에 해당하는 '한내' 마을은 농사가 주업이던 시절에는 중랑천 덕을 톡톡히 보고 살아왔다. 마을 앞에 '마들'이라는 큰 들이 있는데, 이 들을 중랑천 물줄기가 촉촉이 적셔 주어 농사가 잘됐다. 마을 주변의 주민들은 한내 덕분에 풍족함을 누렸다.

한내 마을은 점점 커지면서 '윗한내', '아랫한내'로 나뉬었다. '한내'는 '한천漢川' 또는 '한계漢溪'라는 한자 이름으로 표기되었다. 윗한내는 '상한계', 아래한내는 '하한계'가 되어 지금의 '상계동', '하계동'이라는 이름의 바탕이 되었다. 윗한내와 아래한내 사이에는 '가

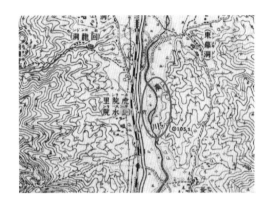

❷ 일제 초기의 지도에
도 '한천'으로 표시
되어 있다. 한천漢川
은 '한내'의 한자식
표기이다.

온한내'라고 부르던 '중한계'가 있었다.

중랑천은 한내 남쪽으로 내려오면서 여름마다 골칫거리를 안
겨 주곤 했다. 그것은 다름 아닌 큰물 피해였다. 용마산과 아차산
서쪽으로 흘러내리는 물이 한꺼번에 몰려 지금의 중랑구와 광진구
일부에 물난리를 겪게 했다.

그래도 중랑천은 이 유역 사람들에게는 누릴것이 많은 삶의
터전이다. 요즘은 그 둔치에 놀이터가 마련되고 꽃단지도 자그마
하게 마련해 놓았다. 해바라기, 코스모스, 메밀, 유채꽃 등도 구경
할 수 있다. 중랑천의 물줄기는 어제나 오늘이나 매한가지지만, 그
얼굴은 이렇게 조금씩 달라져 간다.

○ ∧ □

　　지금은 '한내'라는 이름 대신 '중랑천'이라는 이름을 쓴다. 원래는 중랑천이 아니고 '중량천'이었다. 그러면 '중량'이란 이름은 왜 '중랑'으로 바뀌게 되었을까?

　　예전에 한내(중랑천) 하류에는 '중량교中梁橋'라는 다리가 있었다. 이 다리는 나무를 이어 만든 것으로 조선시대 왕들이 능행 때 이용하곤 했다. 서울에서 경기도 동부나 강원도 방면으로 가는 나그네들에게 교통 관문의 역할도 했다. 이 나무다리가 있던 자리에 일제강점기 때인 1934년에 콘크리트 다리를 새로 놓았다. 1911년 일제가 발행한 경성부 지도에서는 이 '중량교中梁橋'를 '중랑교中浪橋'라고 표기해 놓았다. 그 후 각종 문헌에서 이 다리 밑의 내를 '중랑천中浪川'이라고 표기하면서 이 이름으로 정착되었다.

　　어느 땅이름이나 다 그렇지만, 잘 알려진 곳에는 그 이름과 관련한 설화가 끼어들게 마련이다. 중랑천도 예외는 아니다. 조선시대 때 중랑천 근처에는 지금의 국립여관이라고 할 수 있는 송계원松溪院이 있었다. 이 때문에 중랑천을 '송계松溪'라고도 불렀다. 송계교를 돌다리로 개축할 때 인근 마을의 장정은 모두 부역으로 동원되었는데, 열여섯 살 되는 딸과 함께 사는 홀아비 장님 중이도 예외는 아니었다.

　　눈먼 아버지가 부역을 하게 둘 수 없었던 중이의 딸은 아버지 대신 자기가 부역을 하겠노라고 마음먹고 관아를 찾아갔다. 그러나 장정들도 힘들어하는 부역에 어떻게 여자를 받아 줄 리 없었다. 관아에서 거절하자 중이의 딸은 며칠 동안 간청을 거듭해 결국 부역을 할 수 있도록 허락을 받았다. 그러나 반드시 남장을 해야 한다는 조건이 붙어 남장을 하고 참여했다. 생리적인 문제는 대나무를 잘라 옷 속에 넣어 관을 통해 서서 배뇨를 할 수 있게 했다.

　이런 눈물겨운 사연을 전해 들은 관아에서는 중이의 부역을 면해 주기로 했다. 부역을 대신하던 딸을 눈먼 아버지 곁으로 돌려보낸 것이다. 남자인 줄로만 알고 지내던 동료들이 그를 '중이의 아들'이라 하여 '중낭자仲郞子'라고 불렀지만, 남장 여인이라는 것을 알고 난 다음부터는 '중랑仲狼'이라 불렀다. 이것이 '중랑仲浪'으로 바뀌었는데, 이 이름이 바탕이 되어 '중랑천'이라는 이름이 나왔다고 한다. 설화이기 때문에 믿을 만한 사실은 아니다.

한탄강, 원래 '큰 여울'의 뜻인
'한여울'로 불렸다

　임진강의 한 갈림내인 한탄강은 '큰 물줄기'를 뜻한다. 지금의 북한 땅인 강원도 평강군에서 발원해 남쪽으로 추가령지구대를 따라 흘러내린다. 이 강은 포천과 연천 땅을 적시고는 연천 전곡읍 부근에서 재인폭포로 마무리하고, 임진강 본류로 흘러드는 제법 큰 물줄기이다. 그 길이도 약 136킬로미터나 된다. 옛 문헌《신증동국

여지승람》에서는 한탄강이 '체천㹣川'으로 기록되어 있다.

체천은 철원부 동쪽 20리 지점에 있고, 회양부 철령에서부러 흘러내리는데, 남쪽으로 흘러 경기도 양주 북쪽으로 들어가 '대탄ㅊ灘'이 된다. 양쪽 물가 언덕의 돌벼랑이 모두 계체階砌(무덤 앞 평평하게 한 땅에 놓는 섬돌) 같아 '체천㹣川'이라는 이름이 붙었다.

지도에 나오는 '대탄'은 한탄강으로 '큰 여울'이라는 뜻의 또 다른 우리말인 '한여울'이다. 한탄강 옆 연천군 전곡읍 전곡리에 있는 마을도 '한여울'인데, 한자로는 '여울 탄'을 써서 '한탄동漢灘洞'이라고 쓴다.

여울이 커서 '한여울'이라고 이름을 붙였는데, 많은 이가 '한탄강'이라는 이름을 들으면 옛날의 '한탄스러운' 일을 기억하곤 한다. 민족 분단으로 인한 비극이 이 강에 깊이 서려 있다는 사실만으로도 '한탄恨歎'과 연결 지을 만하다.

한탄강이 임진강에 합류하는 곳 근처에 있는 전곡읍은 바로 삼팔선이 지나는 곳이다. 광복 후 분단선이 그어지자 자유를 그리는 많은 북쪽 동포들은 이 한여울을 건너 남쪽으로 넘어왔다. 그러나 이 여울을 건너려던 많은 이들 중에 일부는 중간에 목숨을 잃기도 했다. 그때 얼마나 많은 이들이 이 강 앞에서 한탄을 했을까?

한국전쟁 당시, 철의 삼각지대를 흐르는 이 강 앞에서 가장 치

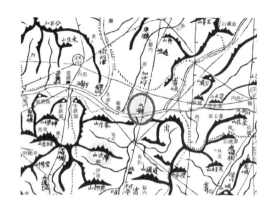

❯ 《대동여지도》에는
한여울이 '대탄人灘'
이라고 한자로 표기
되어 있다.

열한 격전이 벌어졌다. 강물은 온통 남북 병사들의 피로 붉게 물들었다. 이 비극적인 광경 앞에서 수많은 병사들의 가족들이 또 한번 울며 한탄을 했다.

더 옛날로 거슬러 올라가 보자. 후삼국시대 태봉의 궁예가 남쪽으로 내려가 후백제와 싸우고, 그 수도인 철원으로 돌아오는 길에 이 강을 건너다가 구멍이 숭숭 뚫려 있는 강가의 돌들을 보고 한탄을 했다고 한다. "아, 돌들이 모두 좀먹고 늙었구나. 내 몸도 이제 저 돌들처럼 늙고 좀먹었으니 나의 운도 다했도다." 이 강을 '한탄강恨歎江'이라고 부르는 것은 이런 비극적 역사를 지닌 탓이리라. 슬픈 역사 탓인지 한탄강에는 울음과 관계된 땅이름이 많다.

'운다'는 뜻으로 들리는 '운골(경기도 포천군 창수면 신흥리와 영북면 대회산리)', '은골', '음골', '움터'로도 불린 '운터(경기도 연천군 전곡읍 은대리)', '홀짝골(경기도 연천군 청산면 장탄리와 포천군 영북면 소회산리)'

○ ∧ □

등은 울음과 관계있어서 붙은 이름 같다. 포천군 창수면 운산리의 '설운이' 마을은 '서럽다'는 뜻을 담기라도 하듯 그 앞의 한여울을 진짜 '한恨의 여울'로 만들고 있다. 연천읍 고문리의 '설미울'이라는 들 이름도 '서럽게 운다'는 뜻으로 들린다.

　휴전선이 걸쳐 있어 그 어느 곳보다도 울 일이 많고 서러운 일이 많았을 한탄강이다. 그러나 울 만한 일, 서러운 일은 땅이름만큼이나 많이 치러 냈으니, 이젠 정말로 행복이 움트는 '움터', '움골'이 되어야 한다. 크게 일어서서 운運이 트일 '설운이' 마을이 되어야 한다. 그래서 한탄하는 한여울이 아니라 크고 좋은 일이 여울처럼 이어져 흐르는 '한人여울'이 되어야 한다.

○ 한탄강은 원래 '한여울'로 불리었다.

'한강(한가람)'의 '한'도 같은 뜻을 담은 말이다. 대전은 원래 '큰 밭이 있는 지역'이란 뜻으로 '한밭'이었다. '한밭'을 한자로 쓴 것이 '대전大田'이다. 서울 강남구 대치동은 '한티'라는 큰 고개가 있어서 나온 이름이다. 이 한티는 한자어로 '대치大峙'가 되었고, 지금의 '대치동'이라는 이름의 바탕이 되었다.

그런데 땅이름에서는 '한'이 '황'으로 옮겨 간 것이 적지 않다. 이런 경우, '황' 자를 보고 '큰'이라는 뜻으로 해석해 내는 사람은 별로 없다. '한'에서 '황'으로 발음이 변화되었음을 아는 사람이 별로 없기 때문이다. 흔히 '황소'를 '누런 소'라고 알고 있다. 그러나 '황소'는 '큰 소'라는 뜻인 '한소'가 변한 말이다. 옛 문헌에도 황소는 '한쇼'라고 나온다.

경기도 양평군 양평읍 대흥리의 황골을 한번 살펴보자. 이 마을은 대흥리에서 으뜸 되는 마을이어서 '큰'이라는 뜻이 들어간 '한골'이었고, 한자어로는 '대곡大谷'이라고 했다. 그러나 '한골'은 세월을 거치는 동안 '항골'과 '황골'로 변했고, 결국은 일반 문헌이나 지도에 '황골'로 표기되었다. 이를 '누렇다黃'는 엉뚱한 뜻과 관계를 짓기도 한다.

아무튼 '황골'이라는 땅이름 중에는 '한골'이 변한 것이 매우 많다. 충남 논산시 은진면 강산리에 있는 고개는 본래 이름이 '큰

> 강원도 원주시 황골
> 은 '한골'이 '황골'로
> 변한 것이다.

고개'라는 뜻의 '한고개'였는데, 훗날 '황고개'로 변하고 한자어로
는 '황현黃峴'으로 표기되어 왔다. 그러다 보니 한자의 '황黃'에 뜻을
맞춰 '고개 전체가 황토로 되어'라는 식으로 엉뚱한 지명 풀이를 해
놓고 있다. '황골', '황고개' 말고도 전국에는 '황' 자가 들어간 땅이름
이 매우 많은데 그 변화 과정을 잘 살펴서 뜻을 파악해야 한다.

　　한글로 적힌 땅이름을 접할 때 그 음과 비슷한 글자까지 생각
해 보는 것이 좋다. 위에서는 '한'이 '황'으로 변한 땅이름의 예를 많
이 들었는데, 실제 그 음절(한, 황)은 발음상 차이가 난다. 이것은 그
뒤 음절의 영향이다. 즉, '한'과 '황'을 그 음절 하나로 발음해 보면
많이 다르지만 '한골'과 '황골'을 비교해 보면 그리 다르지 않다. 우
리의 옛말 '한쇼'가 '황소'가 되고, '큰 새'라는 뜻의 '한새'가 '황새'로
된 것을 보면 이해하기 쉽다. '황'이 들어간 땅이름 중에는 '한'의 뒤
음절 영향으로 '황'으로 변한 것이 많다는 사실을 알 필요가 있다.

• 친척말 •

한숨, 한길, 한바탕, 한솔(큰 소나무), 황소(한소), 황새(한새)

• 친척 땅이름 •

한골, 한고개, 한티, 한내, 항골, 한밭, 대전大田, 황고개, 황현黃峴, 황골, 황곡黃谷

○ ∧ □

어원상으로 통하는
하늘의 달, 지상의 달

_ 전남 영암 월출산
_ 충북 충주시 달천동 달내
_ 대구의 옛 이름 달구벌

∧ ○ □

#달 #달구벌 #달나뫼 #달내

들하 노피곰 도ᄃᆞ샤

어긔야 머리곰 비취오시라

어긔야 어강됴리

아으 다롱디리

져재 녀러신고요

어긔야 즌 ᄃᆡ를 드ᄃᆡ욜셰라

어긔야 어강됴리

달님이여 높이높이 돋으시어
멀리멀리 비추어 주십시오.

저자(시장)에 가 계십니까.
진 데(험한 곳)를 디딜까 두렵습니다.

_백제 가요 〈정읍사〉

《고려사》〈악지〉에 담겨 있는 노래이다. 정읍 사람이 행상을
떠나 오래도록 돌아오지 않았다고 한다. 그의 아내가 산에 올라가
남편이 떠난 먼 곳을 바라보면서 행여 남편이 밤에 행상을 다니다
가 진흙물에 빠질까 걱정하며 부른 노래라고 한다. 세간에 전하길
등첨산에 망부석이 있다고 한다(〈정읍사〉에서 '진 데'는 '다른 여자'일지
도 모른다).

이 노래의 맨 앞에 나오는 '돌'은 '달月'로 호소의 대상이
다. 남편을 멀리 행상 보내고 외로운 마음을 달빛 속에 겹겹이 묻었
을 아낙, 막연히 하늘을 보며 지아비의 모습을 그리다가 눈에 확 들
어온 그 달은 그녀에게 마음을 나누는 친구였을 것이다. 여인은 남
편을 무사히 지켜 줄 천지신명으로 달을 생각했을까?

시인이나 화가의 작품이 아니어도 달은 그 모습만으로도 하나
의 노래이자 그림이다. 달이 있었기에 이태백의 풍류가 나왔고 노
래도 나왔다. 달밤에 호수에 배를 띄우고 그 배에서 연인과 마주 앉
아 술잔을 기울이니 달이 다섯이나 된다던가? 하늘에 하나, 물 위

○ ∧ □

에 하나, 술잔에 부은 술 위에 뜬 달 하나, 나머지 둘은 연인의 맑은 눈동자에서 빛나는 달.

높은 곳에 뜬 달이
'양달', '음달', '빗달'이 되다

달은 높은 곳에 떠 있으니 달에 담긴 의미 또한 높은 것이었음이 분명하다. 태양이 큰 것이고, 달이 높은 것이라는 생각은 존경심을 짝 지어 표현한 것이라 할 수 있다.

〈정읍사〉의 첫머리 '돌하'의 '하'가 그것을 증명한다. '하'는 알다시피 높임부름토(존칭호격조사)이다. 어원 연구가인 고 최승렬은 《한국어의 어원》이라는 책에서 '돌'에서 '돌다曲', '덜다減', '두르다圍', '돌週年' 등의 말이 파생했다고 했다. 달은 옛 문헌에 대개 '돌'이라고 표기되었다. 산 이름 중에 '달達'이나 '월川' 자가 많이 들어간 것은 '산'의 옛말이 '돌'이었기 때문이다.

'작은 산'이라는 뜻을 지닌 '아사달'은 '앗달', '압달'이라고 불려 비슷한 발음인 '아홉 달'이라는 뜻의 '구월九川'이 된다. 그래서 '구월산'이 '아사달'과 같은 이름이라는 주장도 상당한 설득력을 갖는다.

❯ '구월산'은 '아사달'과 같은 이름

아사달 › 앗달 › 압달(아웁달) › 아홉달九川 › 구월산九川山

최승렬은 아사달(앗달)에는 '차산^{次山}'이라는 뜻도 있다면서 '한붉달^{太白山}'의 상대적인 의미로 쓰였다고 말했다. 즉, 태백은 환웅이 내린 곳이라 '클 태^太' 자를 붙였다. '태^太', '대^大'는 '머리^宗'를 나타내고, 단군이 옮긴 곳을 '백악^{白岳}'이라 한 것은 첫 번째가 아닌 다음이라는 뜻인 '차^次'의 표현으로 보인다.

> ### '한박달'과 '아사달'에 담긴 뜻
한박달^{太白山} = 종단^{宗壇}

아사달^{阿斯達} = 차단^{次壇, 弟壇, 小壇}

고대의 제단은 산꼭대기에 있어서 '달^達'은 '단^壇'과 통한다고 했다. 어쨌든 하늘의 '달'과 '땅'이나 '산^山'이라는 뜻의 '달'은 음은 같지만, 어원적으로 어떤 관계가 있는지는 더 연구해 볼 필요가 있다.

'달'은 오랜 옛날부터 써 온 말이고 이와 관련된 지명도 많이 퍼졌다. '산'이라는 뜻을 지닌 이 말은 오늘날의 '양달', '음달' 같은 말을 이루게 했다. '비낀(경사진) 땅'이라는 뜻을 지닌 '빗달(비탈)'이라는 말도 나왔다. 지금의 '땅'이나 '터'라는 말도 '달'이 다음과 같은 과정을 거쳐 변한 말로 보인다.

> ### '달'이 '땅'과 '터'가 되기까지
달^山 〉 다 〉 따 〉 땅^地 – 경음화

달^山 〉 다 〉 타 〉 터^基 – 격음화

우리말의 '따', '터'는 일본으로 건너가 '논'이나 '땅'이라는 뜻이 되어 '전田', '지地'의 일본어 발음인 '다タ'가 되기도 했다. 일본어에서는 악岳, 고高를 '타케', '타카'라고 하는데, 이를 보면 우리말의 '달'과 음운상으로 매우 비슷하다는 사실을 알 수 있다.

'달'은 거의 '~산'이라는 뜻으로 쓰였다

'달'은 원래 고구려어로서 삼국이 통일되기 전에 '~달達'과 같이 불리던 고을 이름이 통일신라 경덕왕 때 거의 '~산山'으로 바뀌었다. 이런 것을 봐도 '달'이 '산'이라는 뜻임을 알 수 있다.

◗ '달'이 '산'의 뜻으로 지어진 옛 땅이름

석달현昔達縣(함남 안변) 〉 난산현蘭山縣

가지달현加支達縣(함남 안변 부근) 〉 청사현菁山縣

◗ '달'이 '높다'는 뜻으로 지어진 옛 땅이름

달홀達忽(강원도 고성) 〉 고성군高城郡

달을성현達乙省縣(경기 고양시) 〉 고봉현高烽縣

달을참현達乙斬縣(인천시 강화군 교동읍) 〉 고목근현高木根縣

《동국여지승람》을 보면 '달達' 자가 들어간 산이름이 많이 나온다. 경기도 수원의 팔달산八達山, 충북 영동의 박달산朴達山 등이 그 예이다. 이러한 산이름 중에는 지금까지도 그대로 불리는 것이 많다. '달'이 '산'이라는 뜻이므로 결국 '산'이 겹쳐 들어간 셈이다.

'달'이 고구려 지명에 많은 반면, 백제 지명에는 '돌'과 관련된 지명이 많은데 통일신라 이후 이들 지명은 대개 '월川' 자로 대역되었다. 백제어의 '돌'은 고구려어의 '들'에 해당하며 지명에서 돌은 한자로 '돌突', '진珍'으로 표기되었다가 뒤에 '월川' 자로 바뀌기도 했다. 12세기 초 고려의 어휘를 수록하고 있는 《계림유사》를 보면 달에 대해 다음과 같은 부분이 나온다.

難珍阿 一云 月良阿(난진하는 월량하라 하기도 한다)

月曰突('달'을 '돌'이라 부른다)

이쯤에서 우리 민족이 좋아하는 '달'이 들어간 아리랑 곡의 가사를 한번 음미해 보자. 흔히 아리랑 곡이니 민요라고 오해하기 쉽지만, 민요가 아니라 대중가요이다.

달이 뜬다 달이 뜬다

둥근 둥근 달이 뜬다

월출산 천황봉에 보름달이 뜬다
아리랑 동동 쓰리랑 동동
에헤야 데헤야 어사와 데야
달 보는 아리랑 임 보는 아리랑

_〈영암아리랑〉

'달' 또는 '월川'이 들어간 지명들을 더 살펴보면서 '달'이 원래 어떤 뜻을 가졌는지를 생각해 보자. 1988년 6월에 국립공원이 된 월출산은 '달이 뜬다'는 글자 그대로 달을 연상할 만하다. 매월당 김시습은 월출산을 보고 '호남에서 제일가는 그림 같은 산'이라고 극찬했고, 지리학자 이중환은 '대단히 맑고 뛰어난 지세'라고 높이 평가했다.

'월출川灬'은 '달돋이'라는 뜻을 가지고 있는데, '달 뜨는 산'이라

❯ 전남 영암의 월출산은 토박이 땅이름인 '달나뫼'로 유추된다.

월악산月岳山은 '월月' 자가 들어간 산이지만 달과는 무관하다. 신라 시대에 '월형산月兄山'이라 하며 산신에게 제사를 지냈다.

하여 이 이름이 붙었다고 한다. 그러나 '월月' 자가 들어갔다고 하여 이름의 유래를 무조건 달과 관련짓지는 말아야 한다. 월출산은 백제와 신라시대에는 '월나산月奈山', '월나악月奈嶽'이라 불렸고, 조선시대에 들어서 '월출산'이라고 불렸다. '월나', '월출'에서 '월'은 같은데 '나'가 '출出'로 바뀌었을 뿐이다. '나'를 '나다出生'의 뜻으로 보면 두 이름이 얼마나 가까운지 알 수 있다.

　　문제는 '월나'가 어떤 뜻으로 붙여졌냐 하는 것인데, 영암의 옛 이름 '월나'를 유추해 보면 답이 나온다. 이 산이 있는 영암의 옛 이름이 '월나', '월생月生'이기도 했으니 결국 '월나', '월생', '월출', '영암'은 서로 뜻이 통하는 것이다.

❯ '달'이 '나'는 '월출산'
돌아 > 달아 > 달나 = 달月+나生 = 월출산月出山

○ ∧ □

결국 월출산은 '달나뫼'이며, 이 이름은 그저 '산'이라는 뜻인 '달'에서 나온 이름으로 보인다. '월출산'의 '월'이 산이듯 '월악산月岳山'의 '월'도 산이다. 충북 제천시에 있는 월악산은 이름에 '산'이 세 번 겹쳐 들어간 셈이다. '월'도 산, '악'도 산, '산'도 산이니 '산산산'의 뜻이 되고 말았다.

달구벌, 산으로 둘러싸인 고을

'대구大丘'라는 명칭은 신라시대인 757년(경덕왕 16), 기존의 '주군현州郡縣'이라는 명칭을 중국식 이름으로 고친 시기에 역사에 처음 등장한다. 그러나 이 개칭은 다음 혜공왕 이후에 옛 명칭인 '달구벌'이 그대로 나타나는 것으로 보아 한동안 양쪽이 함께 쓰였던 것 같다.

'달구벌達句伐'이 '대구大丘'로 바뀐 것은 삼국 통일 이후 당唐나라 문화의 영향을 많이 받은 신라가 모든 문물과 제도를 중국식으로 정비하던 과정의 산물이다. 신라는 종래의 여러 벼슬과 지방명을 두 글자의 한자로 개칭했다. 그 방법에는 음을 따는 것, 뜻을 따르는 것, 아름답게 고치는 것, 글자를 줄이는 것 등이 있었는데 '달구벌'이 '대구'로 바뀐 것은 음을 딴 경우에 해당한다.

조선 영·정조 시대에 와서 '구丘'는 '구邱'로 바뀌었다. 1750년(영조 26)에 '구丘'가 공자의 이름이니 다른 글자로 고치자는 상소 때문

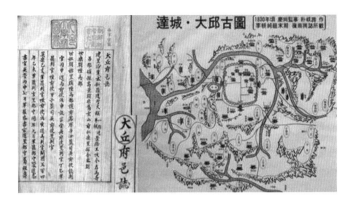

● 대구의 옛 문헌과 고지도에는 '대구'의 한자가 서로 다르게 나와 있다.

이었다. 그리하여 《조선왕조실록》에는 1779년(정조 3) 5월에 처음으로 '대구大邱'라는 이름이 나온다. 그러나 그 후에도 두 글자가 혼용되다가 1850년(철종 원년)에는 공사 간에 모두 '대구大邱'라고 쓰게 되었다. 그렇다면 '대구'로 바뀐 '달구벌'은 어떤 뜻일까?

● '닭(산)'이 '달구벌'이 되기까지
닭(산)+으+벌 > 닭으벌 > 달그벌 > 달구벌

　위와 같은 과정으로 달구벌이란 이름이 나왔을 것이라고 가정할 수 있다. 즉, '산으로 둘러싸인 고을(분지)'이란 의미로 보는 것이다. 여기서 '닭'은 '산山'을 뜻한다. 대구는 분지로 된 고을이니 지명의 뜻이 지형과 딱 들어맞는다.

○ ∧ □

충북 충주시에는 달천동達川洞이 있고 그 앞에 달내(달천)가 흐른다. 이 내에는 안타까운 전설이 있다. 비가 많이 내린 후 두 오누이가 아래옷을 걷어 올리고 이 내를 건너다가, 남동생이 자신도 모르게 커진 가운뎃다리를 자르고 죽었다고 한다. 누이가 그 남동생 시체 곁에서 '달래나 보지' 하며 울부짖어 '달래(달내)'가 되었다는 이야기다. 그러나 달내는 '들 가운데의 내'란 뜻의 '들내'에서 음이 변한 것으로 보아야 한다.

'달바위'라는 이름도 매우 많다. 한자어로 '월암月巖'이라 하고 대개 '달처럼 생긴 바위' 또는 '달맞이하던 바위'라고 뜻을 설명한다. 그러나 이는 '산의 바위'라는 뜻으로 붙은 것으로 보아야 한다.

경기도에 달래내고개가 있다. 영남길 노선 중 서울에서 경기

● 충북 충주시를 흐르는 달내에는 오누이의 전설이 전해 온다.

도로 넘어가는 첫 관문이다. '달애내고개'로도 불리는 이 고개는 경부고속도로를 이용하는 사람들이 많이 넘는다. 옛날에 한양으로 정보를 전달하던 천림산 봉수지가 근처에 있다. 이 고개도 역시 충주의 달래강 전설과 비슷한 전설을 지니고 있지만, '달래내'라는 이름 속에는 역시 '산山'의 뜻이 담겨 있다. 이와 같이 '달' 자가 들어간 땅이름 중에는 산의 뜻을 포함한 것이 많다.

'달'의 뜻이 '산'이라니 뿌리말이 무엇인지 궁금해질 수밖에 없다. 우리말은 대체로 닫힌소리, 즉 폐음절에서 열린소리(개음절開音節)로 변해 왔다. 어느 것은 된소리로 변하기도 했다. 이렇게 보면 '달'의 뿌리말은 '닫'이 된다. 경음화하여 '닫'이 지금의 말인 '땅'과도 연결된다는 사실을 알 수 있다.

❯ '닫'이 '땅'으로 변하기까지

닫 > 다 > 따 > 땅(地)

오랜 옛날에는 '산'과 '땅'이라는 말을 섞어 썼을지도 모른다. 즉, '산' 자체를 그냥 '땅'이라고 본 것 같다. 이런 점에서 하나의 땅이름으로 정착된 지명이 있다면, 그 어원을 파악해 뿌리말까지 세세히 따져 보는 것이 매우 중요하다.

달동네(산동네), 양달, 응달, 비탈(빗달)

달고개, 월산리月山里, 달재, 월령리月嶺里, 달앗태, 월현리月峴里, 다리울, 달울

노루목은 왜 그토록 많을까?

_ 경기도 고양시 장항동 노루목
_ 경기도 가평군 설악면과 강원도 홍천군 사이의 널미재
_ 충남 논산시 연산읍 황산벌 늘미(놀미)

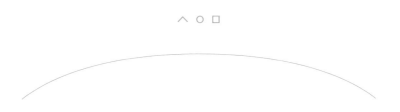

#노루목 #널미재 #넙

    땅이름은 각 지방마다 다른 발음으로 나타나기도 한다. 사투리의 영향으로 차이가 나는 것이다. 대표적으로 '노루목'이라는 땅이름을 한번 살펴보자. 물론 '노루목'이라는 땅이름의 '노루'라는 글자가 동물 '노루'와 관련된 것은 아닌데도 그것과 관계있다고 알고 있는 사람이 많다.

    다음은 《한국지명총람》에 실린 경기도 고양시 장항동에 대한 이야기이다. '노루목'이라는 땅이름이 어떻게 나왔을지 생각하며 읽어 보자.

원래 이곳은 고양군 중면(일산읍) 지역으로 지형이 노루의 목처럼 생겼다고 하여 '노루목' 또는 '장항獐項'이라 했다. 그러다가 1914년 행정구역 폐합에 따라 노점, 무검, 산염, 저전과 김포군 군내면 걸포리 일부를 병합해 '장항리'라고 부른다.

'노루목'은 지방에 따라 조금씩 다르게 부른다

'노루목'이라는 땅이름이 어떻게 해서 나왔는지 알아보기 전에 우선 이와 관련된 우리말을 살펴보자. '넓다'는 말을 전라도 지방에서는 '너룹다, 널룹다', 충청도 지방에서는 '느릅다', 경상도나 강원도 지방에서는 '널따'라고 한다. 땅이름에서도 '넓다'는 뜻이 지방에 따라 조금씩 다른 형태로 나타난다. 특히 한자로 옮기는 과정에서 '넓다'는 뜻과는 전혀 관계가 없는 쪽으로 옮겨 간 것이 많다.

'노루목'은 지방에 따라 조금씩 다르게 부르기도 한다. '노루목'이라고 그대로 부르는 곳이 많지만, '누르'가 되어 '누르목'이나 '눌목'처럼 '누렇다'는 뜻으로 바뀐 이름으로 불리는 곳도 있고, '널'이되어 '너르목'이나 '널목'으로 불리는 곳도 있으며 '나르목'이나 '날목'으로 불리는 곳도 있다. 어원의 관점에서 봤을 때 노루 털 빛깔이누런색이니까 '노루'라고 한 것이 아닐까. '노루'라는 말이 변화하여

서로 다른 땅이름으로 발전해 간 과정을 살펴보면 다음과 같다.

● '노루'의 다양한 뜻에 따라 변화해 간 땅이름

누렇다: 누르목 – 누르실(황곡黃谷), 누르목(황항黃項)

느려짐: 느리울(어곡扵谷), 느르재(어현扵峴)

넓다: 너르골(광촌廣村), 너르실(광곡廣谷)

이것을 지방별로 크게 나누어 보면 '어' 모음 발음권인 경상도 지방에서는 '너러목', '널목'으로 불리는 경우가 많고, '오·이' 모음 방언권인 전라도 지방에서는 '노리목', '놀목'으로, '으' 모음 방언권인 충청도 지방에서는 '느르목', '늘목'으로 불리는 경우가 많다. 서울과 가까운 중부지방에서는 비교적 표준 발음이라 거의 원음에 가깝게 '노루목'으로 불리고, '아' 발음을 비교적 편하게 하므로 '나

● 노루목은 그대로 부르는 곳이 많지만, '누르목', '놀목', '너르목' 등으로 부르는 곳도 있다.(지리산 자락의 노루목)

ⓒ 봉담산악회

● 모음으로 본 방언권. 대체로 산맥과 강줄기를 경계로 모음에 따른 방언권이 형성되어 있다.

르목'이나 '날목'으로 불리기도 한다.

❯ 모음권별로 달리 변화한 '노루목' 관련 땅이름

경상도

너르매기(경북 영천시 청통면 죽정리)

너르미(경북 울진군 기성면 망양리)

전라도

노루목(전남 담양군 금성면 봉서리)

노리목(광주시 광산구 송학동)

충청도

느르메기(충북 단양군 어상천면 대전리)

느르목(충북 제천시 송학면 오미리)

중부권

날미(경기 안양시 비산동과 석수동)

나루목(경기 이천시 마장면 작촌리)

　'노루 장獐' 자를 취한 이름이라고 하여 반드시 '노루'와 관련이 있다고 할 수는 없다. 전국 곳곳의 '노루목'이라는 땅이름이 나온 배경 설명을 보면, 그곳의 지형과 관련지어 '땅 모양이 노루의 목과 같아서'와 같이 풀이해 놓은 것이 대부분이다. 이는 잘못된 것이다.

앞에서 본 바와 같이 '노루목'의 '노루'는 '노랗다'는 뜻의 '노르', '누르'가 되기도 했다. 이와 관련해 우리말의 '노랗다'는 말의 변화 과정을 이해할 필요가 있다. '노랗다'의 '노(놛)'와 일반 명사 밑에 붙어 그 말의 의미를 더해 주는 접미사 '아지'가 붙어 변화된 '노다지' 같은 말을 생각해 보면 이해하기 쉽다. 즉, '노다지'를 '놛+아지'라고 생각해 보자. '노다지'의 뿌리말 '놛'은 구리나 금을 말하며, 이 말에서 '노랑'이라는 빛깔 이름이 나왔다.

▶ 색깔별 말의 변천 과정

밝+앙(발강) > 빨강 −밝(붉=불)

팔+앙(파랑) − 팔(풀)

놛+앙(노당) > 노랑 − 놛(놋) = 구리

조선시대 초기에는 '노루'가 '놀'이라고도 불렸다. 《용비어천가》, 《훈민정음》 해례본 등의 문헌에는 '노로'가 나오는데, 이를 보면 그 뿌리말이 '놀'임을 알 수 있다.

졸애산애 두 놀이 흔사래 빼니(조래산 두 노루가 한 살에 깨니)

_《용비어천가》 제43장

노로_{爲獐}('노로'는 '獐'이다)

_《훈민정음》 해례본 〈용자례用字例〉

즉, 문헌에는 노루가 '놀', '노루', '노로'라고 적혀 있다.

⊙ '놀'에서 '노루'가 되기까지

놀 > 노루 > 노로 > 노루

⊙ '놀'에서 '노루목'이 되기까지

놀+(으)+목 > 놀으목 > 노르목 > 노루목

이런 변화 과정을 거쳐 '노루목'이라는 말이 나온 것으로 보인다. 그렇다면 삼국시대 지명인 '장항獐項'은 '노루목' 외에 '놀목'이나 '널목'의 한자식 표기일 것이다.

⊙ '놀'의 파생어 5가지의 변천 과정

날 > 날미 > 날머리 > 나르목

놀 > 놀미 > 놀목 > 노루목 > 노르메기

널 > 널미 > 널목 > 너르미 > 너럭바위

늘 > 늘미 > 늘목 > 느르미

눌 > 눌미 > 눌목 > 누르미 > 누르메기

노루목의 친척 이름에 '느르목(누르목)'이 있다. 노루목과 누르목은 발음이 거의 비슷하다. 누리목, 누르메기, 느르미 등도 노루목의 친척 이름인데, 이들 이름은 '노랗다'는 뜻의 한자 '황黃' 자가 취해진 것이 많다.

백제의 마지막 장군인 계백의 마지막 싸움터 황산벌로 가 보자. 지금의 충남 논산시 연산읍 일대이다. 황산벌의 '황산黃山'을 한자 뜻 그대로 풀어 보면 '누런 산'이다. 산이 누렇다고 '황산'일까?

산줄기가 늘어진 곳을 '늘미(느르미, 누르미)'라고 부르는데, 지명이 한자화할 때 '누른 뫼'가 되어 '황산黃山'이라는 이름이 붙은 것이다. 논산의 옛 땅이름이 '놀미'이고, 황산이 있는 곳의 면 이름은 '연산連山'이다. '연산'은 '늘미'의 한자 지명이다. 즉, '늘미'와 '놀미'는 친척 관계이다.

'노루'가 '노랗다'는 뜻의 '노르(누르)'나 '넓다'는 뜻의 '너르'와 음이 비슷하다. 그러다 보니 한자의 '누를 황黃'이나 '넓을 광廣'으로 지명이 옮겨 간 것을 적잖게 볼 수 있다. '널빤지'의 뜻으로 한자가 옮겨 간 것도 있다.

▶ '노르', '너르'에서 옮겨간 지명

널재 = 널板+재峙 = 판치板峙

누르실 = 누르黃 + 실谷 = 황곡黃谷

너븐돌 = 넙은廣 + 돌石 = 광석廣石

너르섬 = 노루獐 + 섬島 = 장도獐島

'넓다'의 원말은 '넙'

'늘다'나 '넓다' 같은 말은 친척말을 많이 두고 있어 토박이 땅이름에서는 매우 다양한 형태로 나타난다.

즁생을 너비 제도濟度하시니

_《석보상절》

광廣은 너블씨오

_《월인석보》7권

넙다: '너르다'나 '넓다'의 옛말

_국립국어원 '우리말샘'

'넓다'의 원말은 '넙'이다. '넙'은 상당히 많은 명사를 낳았다. '너비', '너벅선(넙은 배)', '너벅지', '넙치' 같은 말이 나왔는가 하면, '수건'을 뜻하는 심마니의 말인 '넙데기' 같은 말도 파생되었다. 형용사인 '너붓하다'나 '너볏하다'도 '넙'을 뿌리로 한다. '넉넉하다'와

'너그럽다'도 '넙'이 '넉'으로 변해서 나왔다.

'넓다'는 '널다', '너르다'의 '널'로도 변해 '너러기(자배기)', '널방석(넓은 짚방석)', '너름새(너그럽고 시원스럽게 말로 떠벌려서 일을 주선하는 솜씨)' 같은 명사나 '널찍하다', '널브러지다' 같은 형용사를 이루게 했다. 넓고 펑퍼짐하게 생긴 바위를 '너럭바위'라 하는데, 이것의 옛말은 '너러바회'이다. 송강 정철의 《관동별곡》에는 다음과 같은 구절이 나온다.

원통골 ᄀᆞ는 길로 사자봉을 ᄎᆞ자가니 그 알ᄑᆡ 너러바회 화룡化龍쇠 되어셰라(원통골 가는 길로 사자봉을 찾아가니 그 앞에 너럭바위 화룡소가 되었구나).

그 밖에 '늦다', '눅다(누굿하다)', '눕다', '늘다', '느리다', '낮다', '얇다', '얕다', '널다(빨래 따위를~)' 같은 말도 발음으로나 뜻으로나 '넙-널'에 상당히 근접해 있음을 알 수 있다.

'길게 늘어진 밭'이라는 뜻인 '느랏', '누랏'도 누렇다는 뜻으로 옮겨 가 전남 순천시의 황전면 등에 그 이름이 남아 있다. 전북 남원시 보절면 황벌리에는 '누른대(황죽黃竹)'란 마을이 있다. 연산군때 간신 유자광이 이곳에서 태어났는데, 그의 어머니가 아이를 가지자 이곳에 자라던 대나무가 누렇게 변했다가 아기가 태어나고 다시 푸르러졌다는 이야기가 전해 온다. 하지만 이것은 땅이름을

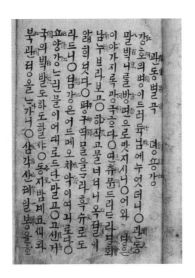

역사적 사실과 결부시켜 꾸며 낸 이야기로 보인다.

　이렇게 보면 전국 곳곳에 있는 '노루목'이라는 땅이름은 우리
에게 많은 국어 공부를 하게 만든다. 노루가 우리에게 국어 공부를
시키는 셈이다. 땅이름과 우리 국어에 관해서 생각해 보기로 하자.
고생대나 신생대의 동물, 식물에 대해서 알아보려면 그 당시의 흔
적을 살펴봐야 한다. 그 흔적을 볼 수 있는 것이 지층이나 화석이
다. 학자들은 이것들을 통해서 그 당시의 생태계를 짐작한다.

　우리말의 뿌리를 알기 위해서는 옛사람들의 언어 실태를 보아
야 하는데, 그 시대로 돌아가지 않는 한 당시의 언어 실태를 정확히
알 수는 없다. 물론 언어의 변화 과정을 통해 지금의 말과 옛말의
연결 관계를 짐작해 낼 수는 있지만, 이것을 뒷받침할 수 있는 근거

가 있다면 더욱 좋지 않겠는가. 그것이 바로 땅이름, 특히 옛 땅이름이다.

땅이름은 우리의 옛말을 찾거나 짐작해 낼 수 있는 좋은 자료이다. 여기에는 옛말이 박혀 있는 경우가 많기 때문이다. 즉, 땅이름은 우리말의 화석이다. 땅이름을 보면 우리말의 뿌리를 찾아낼 수 있다. 다행히 우리의 땅이름은 외국과는 달리 기록으로도 잘 보존되어 왔다. 이 속에는 언어적 요소가 많다. 땅이름이 우리의 옛말 연구에 도움을 줄 수 있음은 큰 다행이 아닐 수 없다.

• 친척말 •

넓다, 너비, 너른, 늘어진, 는(늘은), 넓적한

• 친척 땅이름 •

'너븐'나루, 광진廣津, 누르기재, 횡령黃嶺, 누르메기, 황학黃鶴,
누르메, 누루실, 누리실, 황곡黃谷

전국 방방곡곡 많고 많은 '새재'들

_ 경북 문경새재
_ 전북 장수군 계북면 새터

∧ ○ □

#새재 #새터 #새 #소

영남 선비들이 한양으로 가는 길목에 있는 문경새재, 우리 민족은 고개라고 하면 문경새재를 가장 먼저 떠올릴 정도로 우리 마음에 품고 있는 고개였다. 우리가 많이 부르는 '아리랑 고개'가 바로 문경새재일지도 모른다는 생각도 해 본다.

아리랑 아리랑 아라리요
아리랑 고개로 날 넘겨 주소
문경아 새자(새재)야 물박달낭구

○ ∧ □

홍두깨 방망이로 다 나가네

홍두깨 방망이는 팔자가 좋아

큰애기 손질로 놀아나네

문경아 새자는 웬 고개인가

굽이야 굽이야 눈물이 나네

_〈문경새재 아리랑〉

문경새재? 괴산새재?

많은 사람이 '문경새재'는 익숙할 것이다. 백두대간의 조령산
과 주흘산에 걸쳐 있는 이 고개는 옛날 경상도 지방 선비들이 과거
를 보려고 한양으로 가던 중요한 통로였다. 그런데 임진왜란 때 왜

❯ '문경새재'라고 불
리는 고개에 있는
조령 관문이다.

군이 무방비 상태였던 이 고개를 넘어 충주까지 쳐들어오는 바람에 성벽과 3개의 관문을 설치하게 됐다.

임진왜란 발발 이듬해인 1593년 6월, 이곳에 조곡관이라는 관문을 설치했다. 1708년에 조령산성을 고쳐 쌓고, 이 문을 중성中城으로 삼았다. 그 후 산성이 폐허가 되어 복원하고 이 관문 남쪽에 주흘관, 북쪽에 조령관을 축조했다. 그래서 주흘관, 조곡관, 조령관이 나란히 자리잡아 각각 제1, 제2, 제3관문이 되었다. 고개 정상의 제3관문인 조령관은 충청도와 경상도의 경계가 되었다. 문경새재라고는 하지만 고개의 반쪽은 충북 괴산 땅이다.

제1관문과 제2관문 사이의 조령원은 공무로 출장 가는 관리들에게 숙식 편의를 제공하던 공익시설이었다. 정부에서 제1~3관문 일대(전체 370만 제곱미터, 약 112만 평)를 국가지정 문화재 '문경새재'로 지정하면서 외지인들은 제3관문 주변까지 문경이라고 오해한다. 그래서 괴산군은 주민들이 전부터 고개 일부를 '연풍새재'나 '괴산새재'로 불러 왔으니 '문경새재'란 이름을 재고해 달라고도 했지만 받아들여지지 않았다.

사이의 고개, 사이의 마을, 사이의 골짜기

경기도 안성, 충남 논산, 충북 옥천, 전남 광양 등 전국 방방곡곡에 '새재'가 있는데 한자로는 '신현新峴', '조령鳥嶺', '간령間嶺', '철령鐵

嵺' 등으로 표기된다. 이 중에는 날아다니는 '새鳥'로 표기한 것도 있다. 사람들은 고개가 너무 높아서 날짐승도 쉬어 가는 고개라 하여 '새재'라고 했다고 해석하기도 한다. 그러나 영남과 중부지방을 잇는 큰 고개인 문경새재는 '사잇고개'라는 뜻임에 틀림없다.

'사이의 고개'가 '새재'이듯 '사이의 마을'이나 '사이의 골짜기'는 '새골(샛골)'이 된다. 이 이름은 '쇠골', '쇳골'로 변해 한자어로 '금곡金谷'이 되기도 했다. 그래서 '쇠'와 관련된 땅이름으로 풀이하기도 하지만 '쇠'는 대개 '새'의 전음이고 원래 뜻은 '사이'이다. 경기도에는 '금곡'이란 지명이 많은데, 주로 '쇳골'로 부르지만 대개는 '샛골'이 변한 것이다.

우리의 토박이 땅이름 중에는 같은 것이 많다. 이것은 땅이름이 위치나 지형을 따라 자연적으로 이루어진 것이 많고 같은 언어, 같은 조어 형식 등 비슷한 여건에서 생겼기 때문이다. 우리나라의 마을 이름을 생성 원인별로 모아 보면 다음과 같이 다섯 가지로 분류된다.

> **● 위치에 따른 이름**
>
> 샛말(간촌間村), 웃말(상촌上村), 아랫말(하촌下村), 안골(내곡內谷), 가재울(변촌邊村), 벌말(평촌坪村), 다릿골(교촌橋村)

> **● 지형에 따른 이름**
>
> 너르실(황곡黃谷), 느르목(판곡板谷), 노루목(장항獐項), 용머리(용두龍頭),

가느실(세곡細谷)

크기나 모양에 따른 이름

한골(대곡大谷), 진말(장촌長村), 솔골(소촌小村), 긴골(장곡長谷), 능골(가촌加村)

생긴 시기에 따른 이름

구텃골(구기舊基), 새터(신기新基‒신대新垈), 새말(신촌新村), 옛말(고촌古村)

주요 건물이나 이정표로 생긴 이름

향교말(향교), 비선거리(비석), 바윗골(바위), 독골, 돌말(돌), 벼랑골, 벼루말(벼랑), 떡전거리(떡가게), 갈말, 갈골(갈풀), 역말(역)

토박이 땅이름 중 가장 많은 '새터'

우리 토박이 땅이름 중에 가장 많은 것은 '새터(새텃말)'와 '새말'이다. 전국 행정동·리명의 토박이 땅이름을 조사한 결과를 보면 '새터'에 바탕을 둔 땅이름이 가장 많았고, 그다음이 '새말', 그다음으로는 '윗말‒아랫말', '안골', '벌말'의 순이었다.

이 중에서 신흥, 신촌, 금곡, 신기 등이 행정 지명에서 많이 보이는데, 이들은 '새' 또는 '새터'를 바탕으로 하는 한자식 땅이름이다. 전국에 '새新. 關' 관련 땅이름이 많음을 알 수 있다.

'새터'라는 이름을 가장 많이 쓰고 있는 시군은 충북 청주시이
다. 청주시 청원구의 경우 '새터'라는 이름을 가진 곳이 무려 50개
가 넘었다. 이 밖에도 경남 산청군, 경기도 파주시, 경기도 안성시
에도 많았고 충북 괴산군, 전북 남원시, 경북 영천시에도 수십 개나
있었다. 제주도는 방언 특성상 '새터'란 이름을 가진 곳이 없었지만
이와 비슷한 뜻인 '새카름', '시카리' 같은 땅이름이 많았다. 여기서
의 '카름'이나 '카리'는 '마을' 또는 '터'의 제주도 방언이다.

'새터'라는 마을 이름이 이처럼 많은 것은 이름 그대로 '새로
된 마을'이라는 뜻을 가졌기 때문이다. 거기다가 '사이關의 땅'이란
의미도 지니고 있어서 더욱 흔한 이름이 되었다. 새로 조성된 마을,
들 사이의 마을, 산 사이의 마을, 골짜기 사이의 마을 등이다. 이런
마을들에 '새터'라는 이름이 자연스럽게 붙여졌고, 그것이 결국 지

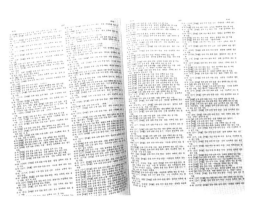

❯ 전국의 '새터' 땅이름.
《한국땅이름큰사전》
(한글학회 발행)에 수
백 개가 실려 있다.

명으로 정착된 것이다.

　'새터'가 '사이의 터'임을 한자로 나타내자면 '간기間基'나 '간대間垈', '간지間地' 같은 지명이 되어야 한다. 하지만 전국의 행정 지명 중에는 간기, 간대, 간지 등이 하나도 없고 자연부락 이름에서나 간혹 보일 뿐이다.

　'새터'는 '금대金垈', '금기金基'라는 한자 지명으로도 옮겨 갔다. 이것은 '새'를 '쇠'로 발음한 것에서 빚어진 현상으로 보인다. 경기도 가평군 가평읍 금대리, 강원도 홍천군 내면 광원리 금기마을 등을 예로 들 수 있다. 이 마을들은 각각 '쇠터', '쇠터울'이 원래 이름이지만 여기에서의 '쇠'는 '새(사이)'를 뜻한다. 이름의 변천 과정이 오래전부터 있었던 것으로 보아 '새터'라는 이름은 오랜 옛날에도 썼음을 알 수 있다.

　《삼국유사》에 나오는 사량부沙粱部를 보자. 여기서의 '사沙'는 지금의 '새'에 해당하는 말의 표기로 보이고, '량粱'은 '돌'로서 '도(터)'의 당시 한자식 표기로 보인다. 그렇다면 '사량'은 지금의 '새터'에 해당한다고 볼 수 있다. 다음의 땅이름을 보면 삼국시대에는 '새'를 '사沙'나 '사史'로 많이 표기했음을 알 수 있다.

● '사' 자가 들어간 삼국시대의 땅이름

사평沙平 = 새벌(지금의 충남 홍성군 일부)

사시량沙尸良 = 삿골, 샛골(지금의 충남 홍성군 일부)

사비근을沙非斤乙 = 새붉을, 새비골(지금의 강원도 회양군)

사복홀沙伏忽 = 새붉골, 새밝골(지금의 경기도 안성시 양성읍)

사벌국沙伐國 = 새벌나라(지금의 경북 상주시)

사물史勿 = 새물(지금의 경남 사천시)

사홀史忽 = 새골(압록수 이북 지역)

'새'는 '살'이 그 말뿌리

'새新'는 그 원뿌리가 '삳' 또는 '삺'일 것으로 보인다. '사이'의 뜻
인 '새'도 원래 그 뿌리는 '삺'일 것으로 보인다. 《용비어천가》에는
아래와 같이 지금의 '사이'라는 말이 '스싀'로 등장한다.

石壁이 혼 잣 스싀ᄂᆞᆯ(돌 절벽이 한 자 사이인들)

_《용비어천가》 31장

모미 곳 스싀로 디나갈ᄉᆡ 저저도 됴ᄒᆞ고(몸이 꽃 사이로 지나가
므로 젖어도 좋아하고)

_《두시언해 초간본》 21장 22

옷스이예 잇ᄂᆞᆫ 빈대 좀을(옷 사이에 있는 빈대 좀을)

_《구급간이방》 1권 19

이로 미루어 보면 '새'는 '사이'가 줄어서 된 말이다. 그전에는 '〮이'였고, 또 그 전에는 '〮싀'였음을 알 수 있다. '〮싀'는 '〮'이 뿌리이므로 이 말의 어원을 '삿(삸·삳)'으로까지 거슬러 올라갈 수 있는 것이다.

⊙ '삳'이 '새'가 되기까지

삳 > 삿(삸) > 사싀 > 사이 > 새

'삳'은 '삳'으로 씌어 다음과 같은 많은 친척말을 이루었다.

⊙ '삳'의 친척말

사타귀(삳+아귀)

살바(삳+바)

살폭(삳+폭, 바지 따위의 살에 대는 좁은 헝겊)

살갗(삳+갗, '기저귀'의 옛말)

아롱사태(아롱+사태, 소의 다리 사이에 붙은 고깃덩이)

'삳(삿)'은 그 뒤에 다른 명사와 합쳐질 경우 ㅂ이 첨가되어 '삽'으로도 변형되었다. 이런 현상은 '멥쌀(메+쌀)', '좁쌀(조+쌀)', '볍씨(벼+씨)' 등의 조어를 생각하면 이해가 쉽다. 땅이름에서도 이런 현상으로 '삽재(삿+재, 사이의 재)', '삽들(삿+들, 사이의 들)', '삽다리(삿+달, 사이의 땅, 사이의 들)' 같은 이름들이 나왔다(이 내용은 '삽다리' 부분

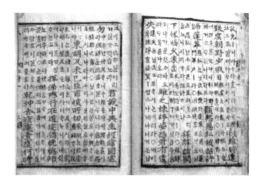

⊙ '사이'의 원말을 알 수 있는 옛 문헌 《두시언해》 책이다.

에서도 다룬 바 있다). 삼국시대 지명 중에 한자 '삽'이 들어간 것이 있는데, 이것도 '새(사이)'의 뜻으로 취해진 것으로 보인다.

> **⊙ '새(사이)'의 뜻인 삼국시대의 땅이름**
> 삽량주 = 삽골, 샛골(지금의 경남 산청군)
> 삽평군 = 삽벌, 샛벌(지금의 전남 순천시)

'소'가 되어 버린 '새'

'새'는 '소'로도 음이 옮겨 가 한자의 '우牛' 자가 들어간 땅이름을 생겨나게 했다. '소' 자로 옮겨 간 땅이름은 전라도에 많은데, 이것은 '오' 발음의 전라도 사투리와 연관 지어 생각해 볼 만하다. 전라도 사투리가 많이 쓰인 문장을 하나 들어 보자.

228 —— 229

폴죽에 포리가 포뜩포뜩한디야? 폴에도 앉았그마.

(팥죽에 파리가 퍼뜩퍼뜩한대? 팔에도 앉았구나)

전라도에선 이처럼 팥죽을 '폴죽'이라 하고 파리를 '포리'라 한다. 또 팔은 '폴'이라 한다. 이 외에도 전라도에는 '오' 발음의 사투리가 많다. '콩폴(콩팥, 신장)', '포래(파래)', '놈(남他人)', '새복(새벽)', 몰(말馬) 등이 그 예이다.

마찬가지로 땅이름에서도 '아'로 되어야 할 것이 '오'로 된 것이 많다. '새몰(새말)', '산모루(산마루)', '몰랭이(말랭이)', '소터(새터)', '솟골(샛골)' 등이 그 예이다. 땅이름에 많이 붙는 '새'나 '사'가 이 지방에선 '소'로 많이 나타나는 것이다. 그래서 여기서는 '소' 자가 들어간 토박이 땅이름이 무척 많고 덩달아 한자 지명에도 우牛 자가 많이 취해져 있다.

이들 땅이름에서의 '소'는 지방 사투리 양상으로 볼 때 주로 '새'나 '사(개)'에 해당하고, 더러는 '솔'에서 ㄹ 탈락한 것이 있을 수도 있다. '소'가 '새'에 해당한다고 하면 '소목', '소재', '소내', '소들' 등은 각각 '새목', '새재', '새내', '새들' 등에 해당할 수 있다.

❍ '새'가 '소'로 된 땅이름

소목(우항牛項, 전남 해남군 황산면)

소목이(우항치牛項峙, 전북 정읍시 신태인읍)

○ ∧ □

소뫼(우산牛山, 전남 순천시 송광면, 광주시 광산구)

소재(우치牛峙, 전남 화순군 도암면, 장성군 삼서면)

소들(우평牛坪, 전북 고창군 고수면)

소두러니(우월牛月, 전북 완주군 화산면)

▶ '소'가 '새'로 된 땅이름

소목(새목, 새모기) – 한자어로 조항鳥項, 신항新項으로 표기되지만 '사이의 목'

소재(새재) – 한자어로 조령鳥嶺, 신현新峴으로 표기되지만 '사이의 고개'

소내(새내) – 한자어로 신천新川으로 많이 표기되지만 '사이의 내'

소들(새들) – 한자어로 신월新川, 신교新橋로 표기되지만 '사이의 들'

소골(새골) – 한자어로 신곡新谷, 조곡鳥谷으로 표기되지만 '사이의 골짜기'

새가 소가 된다니, 실제 동물이라면 전혀 불가능한 일이다. 그러나 언어에서는 가능하다. 모음의 전음轉音 현상 때문이다. 특히 땅이름에서 이 현상이 많이 일어난다. 전국에는 '소재', '솟골' 등의 이름이 많은데, 이들이 원래 '새재', '샛골'에서 나왔다는 것이 이를 증명해 준다. 그래서 땅이름을 해석할 때 단지 글자 중심으로 풀려고 하면 오류를 범하는 것이다.

• 친척말 •

샛길, 새참, 틈새, 샅바, 고샅(골샅), 샅아구니(사타구니), 샅샅이

• 친척 땅이름 •

샅골, 샅미, 산미ᄆᆞ, 샛가지, 샛골, 샛들, 간평ᄤᅠᆢ, 샛말, 샛고개

솔고개, '솔'은 소나무가 아니다

_ 북한 평안도 솔샛골
_ 서울시 종로구 송현동 솔고개
_ 서울시 강북구 북한산 자락 솔샘
경기도 포천군 소흘읍 송우리 솔모루

∧ ○ □

#솔고개 #솔 #솔바람 #솔이끼 #솔모루

들을 지나 숲을 지나 고개 넘어가는 길

들꽃들만 도란도란 새들만 재잘재잘

누가 누가 오고 갈까 어떤 이야기 있나

뭉게구름 흘러가고 바람만 지나가는

꼬불꼬불 오솔길 마냥 걸어갑니다

꽃들과 얘기 나누며 새들과 함께 노래 부르며

꼬불꼬불 오솔길 마냥 걸어갑니다

구름 바람 벗 삼아 휘파람 불며 불며   〈오솔길〉

동요 〈오솔길〉에 나오는 가사이다. 오솔길 생각만 해도 걷고
싶은 길이다. 그러나 정작 오솔길이 어떤 길인지 아는 사람은 그리
많지 않을 듯하다. '솔' 자가 들어갔으니 막연히 소나무 사이의 숲
길 정도로 생각할 수 있다. 그러나 '오솔길'에서의 '솔'은 '소나무'가
아니다.

없는 한자를 새로 만들어 쓴
조상들의 지혜

'솔나무'가 '소나무'로 바뀌는 현상을 맞춤법에선 'ㄹ탈락'이라
고 한다. ㄴ과 ㄹ이 부딪쳐서 일어나는 탈락 현상인데, 이런 현상은
ㄹ과 ㅈ 또는 ㄹ과 ㅅ이 부딪칠 때도 일어난다.

▶두 자음이 부딪쳤을 때 일어나는 ㄹ 탈락 현상
소나무, 버드나무: 솔+나무, 버들+나무(ㄹ과 ㄴ이 만나 ㄹ 탈락)
부집갱이: 불+집갱이, 싸전: 쌀+전(ㄹ과 ㅈ이 만나 ㄹ 탈락)
부삽, 푸서리: 불+삽, 풀+서리(ㄹ과 ㅅ이 만나 ㄹ 탈락)

공간이 좁다고 할 때 '솔다'라는 말을 쓰는데 지금은 이 말을
쓰는 사람이 별로 없다. '작다, 좁다'는 뜻으로 쓰인 이 '솔'은 '졸'로
도 변하면서 '졸다(쫄다)', '졸이다' 등의 친척말을 낳았다. 이 '졸'도

옛날부터 '작다, 좁다'라는 뜻으로 통용되어 '졸개'니 '졸장부'니 하는 말도 파생되었다. 제주도에서는 '작다, 좁다'는 뜻으로 '솔'보다는 '졸'을 더 많이 쓴다. '졸갱이(으름덩굴)' 같은 말이 그 예이다.

오솔길은 '오(외)＋솔小＋길'의 구조로 이루어진 말이다. '폭이 좁은 호젓한 길'을 의미한다. '솔고개'를 의역하면 '송현松峴'이겠지만 음역하면 어떻게 될까? '솔'의 한자가 마땅한 것이 없다. '솔率'이라는 한자가 있긴 하지만, 그 뜻이 '거느리다'여서 소나무와는 의미가 다르다.

이래서 생각해 낸 것이 국자國字(우리식 한자)이다. 이러한 국자 중에 우리말의 '솔' 음을 표기하기 위해 '소所'와 '을乙'을 결합해 만든 글자 '솔乶'이 있다. 그래서 '솔고개'를 '솔고개乶古介'로 쓰기도 했다. 김정호의《대동여지도》에도 이러한 형식의 국자가 들어간 지명들이 적지 않게 보인다. 우리 조상들은 중국식 한자가 우리말을 완벽하게 표기할 수 없어 한자 조합을 해서라도 우리식 한자를 만들어 낸 것이다. 그래서 사람 이름 '돌쇠'를 '돌쇠乭釗'라고 적을 수 있었다.

❯ 우리식 글자인 국자와 이를 이용한 토박이 땅이름

乙 자를 밑에 붙여 ㄹ 받침을 만든 경우

갈乫·乬, 걸乬, 굴乧, 놀乭·乶·乤, 돌乭, 둘乧, 들乻, 물乮, 볼乶, 살乷·乤, 설乷, 솔乺·乮, 얼乻, 올乯, 울乯·㐘, 율乮, 잘乽, 절乽, 줄乼, 톨乭, 할乤

叱 자를 밑에 붙여 ㅅ 받침을 만든 경우

갓㖦, 곳㖦, 굿㖦, 늣㖦, 밧㖦, 엇㖦, 잣㖦, 짓㖦, 팟㖦

ㄱ 자를 밑에 붙여 ㄱ 받침을 만든 경우

걱特, 덕㖦, 둑㖦

ㅁ, ㅇ 자를 밑에 붙여 ㅁ, ㅇ 받침으로 쓴 경우

놈㖦, 덩㖦, 둥㖦, 얌㖦, 큼ᄉ+ㅣㅌ

룜 자를 밑에 붙여 ㅂ 받침으로 쓴 경우

곱㖦, 삽㖦

叱 자를 붙여 첫소리 음을 된소리로 쓴 경우

씨㖦, 뿐㖦·㖦

기타

곶串, 궉㘸, 끌㖦, 놈㖦, 닐㖦, 답㖦, 맛㖦, 며於, 산㖦, 섬㖦, 쇠釗, 시㖦, 움厂, 재㖦, 러㘸

우리 토박이 땅이름이 국자로 넣어진 땅이름

갈파지(㖦破知), 갑곶(甲串), 갓재(㖦峴), 것곶재(㖦串峴), 곱돌(㖦乭), 놀미(㖦末), 늣고개(㖦古介), 돌말(乭村), 밧개(㖦怪), 보름섬(㖦音島), 살미

(辺尾), 솔샛골(乭三洞), 올마재(兀馬峴), 어름골(乻音乤), 둥근뫼(乫根山), 절골(乤谷), 끝말(乥末), 삽재(鏊峴), 팟죽골(厁竹洞), 할미봉(乭末峰)

《대동여지도》에는 '솔샛골'이라는 토박이 땅이름이 들어가 있다. 이 지도에는 지명들이 모두 한자로 들어가 있는데, '솔샛골'은 '솔삼동乫 洞'이라고 적혀 있다. 북한 평안도에 있는 지명이다. 김정호도 우리식 땅이름을 한자로 넣을 때 어지간히 애를 먹었나 보다. 솔샛골의 '샛'의 한자가 없어 셋을 뜻하는 '삼 乤' 자를 넣었는데 참 기발한 생각이다.

서울 도성 안에는 두 개의 '솔고개'가 있었다. 한자어로는 '송현松峴'이라고 적지만, 두 고개를 부를 때는 '웃솔고개'와 '아랫솔고개'로 구분해 불렀다.

웃솔고개는 종로구 송현동·중학동에 걸쳐 있던 고개로 북쪽에 있다고 해서 한자어로 북송현北松峴이라 했다. 물론 여기에 있는 마을 이름 역시 솔고개여서 한자어로 '송현'이라 했는데, 지금의 송현동松峴洞이란 이름의 바탕이 되었다. '솔재'라고도 부른다.

소공동쪽의 아랫솔고개는 한자어로 남송현南松峴이다. 여기에 있던 마을 이름 역시 '솔고개'였다. 근처에 조선시대의 유명한 정승

❥ 1937년의 서울 남대문로에는 한국은행 뒤쪽으로 솔고개가 있었다.

❥ 서울 도성 안에는 두 개의 '솔고개'가 있었다. 북쪽에 있다고 해서 웃솔고개(북송현), 남쪽에 있다고 해서 아랫솔고개(남송현)이다.

인 상진(1493~1564)이 살았는데, 그는 자주 이 솔고개에 올라 시를 읊곤 했다고 한다. 상진은 조선의 문신으로 명종조에 우의정, 좌의정을 거쳐 영의정에 올라 14년 동안 조선의 재상으로서 국정을 총괄했던 인물이다. 그가 살던 동네의 이름이 그의 성을 따서 상동尚洞인데, 지금 그가 살던 곳(남대문로1가)에 상동교회가 있다.

전국에는 '솔고개'가 수도 없이 많다. 이와 비슷한 이름이 '솔

○ ∧ □

재'나 '솔치'이다. 그런데 발음상으로는 '솔고개'의 '솔'이 그냥 살아 있는데, '솔재'는 이와 달리 '소재'로 변화된 것을 많이 볼 수 있다. 이는 '솔나무'가 '소나무'가 된 것처럼 ㄹ 탈락 현상을 겪은 것이다.

'송도'는 러일전쟁 때 일본 군함의 이름을 딴 것

땅이름에 '솔'이 들어간다고 해서 무조건 '소나무'와 관련 있다고 단정 짓지는 말아야 한다. 이번에는 '솔섬'에 대해서 알아보자. 한 인터넷 사이트에서는 '솔섬'의 한자식 이름 송도松島에 관해서 다음과 같이 적고 있다.

> 송도松島. 한자 지명으로 풀어 보자면 '소나무섬' 혹은 '솔 섬'. 바다에 떠 있는 섬 중에서 소나무가 많다고 해서 붙여진 지명이기도 하지만, '작다'는 뜻의 '솔다'라는 동사에서 파생되어 '작은 섬'이라는 뜻의 '솔섬'을 한자로 표기하면서 된 곳도 많다.

전국에는 '송도松島'라는 이름이 무척 많다. 그중 가장 유명한 곳은 인천의 송도와 부산의 송도해수욕장이다. 사실 인천 앞바다에는 '송도'라는 이름의 섬이 없었다. 송도라는 이름은 러일전쟁

(1904~1905) 때 일본의 군함 이름을 따 붙인 것이다. 러일전쟁에 참가한 군함 송도호는 1908년 4월 타이완 마공馬公 지역에서 선내 폭약고 폭발로 침몰했다고 한다.

'송도'라는 이름은 조선에 들어온 일본인들이 자신들의 고국인 일본의 삼경 三景 중의 하나인 미야기현의 '마쓰시마松島'를 떠올려 이를 인천의 능허대에 갖다 붙인 것이라는 설도 있다. 또, 동학농민운동 이후 인천항을 수시로 드나들던 '송도호松島號'라는 군함에서 유래되었다고 전해지기도 한다.

인천의 송도 지역은 옥련玉連, 한나루, 독바위(옹암瓮岩) 등으로 불리던 곳이다. 일제강점기 때 강제로 개명된 것이 세월이 지나면서 자리잡아 현재까지 유지되고 있다. 이 때문에 옥련동 지역에 '송도'와 '옥련'이라는 지명이 혼재되어 있었지만, 지금은 송도라고 부르는 일이 거의 없다. 일제강점기 이후 일본이 송도함을 기리는 의미로 해당 지역을 '송도'로 개명했고, 그 잔재가 송도역과 옛 송도유원지에 남아 있었다.

부산 송도해수욕장은 근대적 해수욕장 개장 이후 첫손에 꼽히는 해수욕장이자 관광 명소였다. 이곳은 일제강점기인 1912년에 착공해 1913년 7월 개장했다. 그러나 점차 수질이 악화되고, 백사장이 유실된 데다 태풍 피해가 잦고, 해운대라는 경쟁 해수욕장이 등장하는 등 여건이 좋지 않아 한동안 관심 밖에 있었다. 그러다 2000년대에 들어 정비 사업을 거치면서 부산광역시의 관광 명소가 되었다.

○ ∧ □

인천의 송도 말고도 전국의 수많은 송도^{松島}는 토박이 땅이름으로 '솔섬'이지만, '소나무섬'이라는 뜻이 아닌 '작은 섬'이라는 뜻을 가진 곳이 훨씬 많다.

서울 강북구 북한산 자락에는 '솔샘'이라는 작은 샘이 있었다. 이 역시 소나무와는 관계없이 '작은 샘'이라는 뜻으로 붙여진 것으로 보인다. 한때 솔샘이 있던 이 지역은 '송천동^{松川洞}'이라고 불리기도 했다. 지금 이 근처를 지나는 길 이름이 '솔샘로'이다. '솔샘'이란 이름은 이곳 말고도 전국 여러 곳에 있다.

경기도 포천군 소흘읍의 송우리^{松隅里}는 '솔모루'라고 불리던 곳이다. 이곳은 본래 포천군 외소면 지역으로 '솔모루' 또는 '송우'라 불렀다. 1914년 행정구역이 폐합되면서 초동교리 일부를 병합해 '송우리'라 해서 소흘면에 편입되었던 곳이다.

솔모루는 '솔모퉁이'라는 뜻인데, 이 이름은 전국 여러 곳에 있다. 그러나 여기서의 '솔'이 작다는 뜻에서 나온 것인지, 소나무와 관련 있는 것인지는 확실하지 않다.

'솔'이라고 하면 보통은 '소나무'를 생각한다. 그런데 동사 '솔다'를 말하면 '솔^松'과는 연관이 없을 것이라고 할 것이다. 땅이름에는 '솔'자가 들어간 것이 꽤 많은데, 대부분 '솔다'와 통하는 것이 많다. 국어사전에 '솔다'는 다음과 같이 풀이되어 있다.

솔다[솔:다]: (형용사) 공간이 좁다.

예) 살이 쪄서 저고리의 품이 솔다.

반의어로는 '너르다'를 제시한다. 즉, '솔다'가 '좁음', '작음'의 뜻이라는 것을 알 수 있다. 따라서 우리는 '솔'이 들어간 땅이름을 접할 때 무조건 떠오르는 낱말과 연결짓지는 말아야 한다.

• 친척말 •

솔, 오솔길, 졸(부추), 졸개, 소름(솔음), 솔바람, 솔내(좁은 내)

• 친척 땅이름 •

솔고개, 송현松峴, 솔모루, 송우松隅, 솔모퉁이, 솔모팅이, 솔모탱이, 소재, 솔티

둘을 아우르다, 아우내와 아우름

_ 강원도 정선 아우라지
_ 충남 천안 아우내
_ 경기도 양평 두물머리

∧ ○ □

아우라지 #아우내 #두물머리

눈이 올라나 비가 올라나

억수장마 질라나

만수산 검은 구름이 막 모여든다.

아우라지 뱃사공아

배 좀 건너 주게

싸릿골 동백이 다 떨어지네.

떨어진 동백은

낙엽에나 쌓이지

잠시 잠깐 임 그리워

나는 못 살겠네.

아리랑 아리랑 아라리요

아리랑 고개로 날 넘겨 주게.

_〈정선아리랑〉 애정편

〈정선아리랑〉의 배경이 된 아우라지

옛날에 아우라지 물목을 사이에 두고 서로 사랑을 속삭이던 연인이 있었다. 어느 날 강물이 크게 불어 만나지 못하자 두 연인은 안타까운 마음을 노래로 읊었다. 그 노래가 바로 〈정선아리랑〉이다.

이 민요는 나루를 사이에 두고 처녀 총각이 자신의 마음을 전하는 내용으로 구성되어 있다. 처녀가 먼저 아우라지 뱃사공에게 싸릿골 동백이 다 떨어지기 전에 나루를 건너게 해 달라고 하면, 총각도 덩달아 잠시 잠깐이라도 임이 그리워 못 살겠다고 사모하는 마음을 전한다.

이런 애틋함을 뒤로하고 이제 정선의 아우라지 나루에서는 거의 관광 용도로만 배를 띄운다. 강 양쪽 사람들이 이 나루를 이용하는 일은 그리 많지 않다. 이 나루는 옛날에는 정선 고을에서 강릉

○ ∧ □

고을로 가려면 꼭 건너야 하는 나루였으나, 지금은 큰길이 다른 곳으로 나 있어 이 나루를 이용할 일도 별로 없게 됐다.

전국 각지에서 몰려든
뗏사공들의 아리랑 노래

아우라지는 강원도 정선읍에서 북동쪽으로 40리쯤 떨어져 있다. 행정구역상으로는 정선군 여량면 여량리와 유천리 사이다. 이곳은 남동쪽의 골지천과 북쪽의 송천의 두 갈래 물이 한데 모여 어우러지는 합수머리다. 나루에서 가장 가까운 마을은 여량리의 가구미 마을과 유천리의 버드내 마을이다.

여량리의 아우라지는 조양강을 이뤄 영월로 흘러간 뒤 남한

● 강원도 정선의 아우라지는 두 물줄기가 한데 모여 어우러지는 곳이다.

강 상류가 된다. 폭이 좁아 겉보기엔 얕아 보이지만 사실 꽤 깊다. 물이 적을 때도 깊이가 5미터를 웃돈다. 지금도 나룻배가 다니지만 강물 위에 매어 놓은 쇠줄을 손으로 당기면서 배를 움직여 오간다. 주로 관광용으로 이용되는데, 옛날에는 삿대나 노를 저어 건너 다녔다.

아우라지는 주민들이 천렵 장소로도 많이 이용했다. 아우라지 나루에선 산 곱고 물 맑은 남한강 천 리 길 물길을 따라 목재를 서울로 운반하던 유명한 뗏목, 각지에서 모여든 뗏사공들의 아리랑 노래가 끊이지 않았다.

인근 동네 처녀들이 모이는 장소가 되기도 했던 아우라지, 머릿기름의 원료로 쓰이는 올동백이 유달리 많았다던 근처 상원산 싸리골로 가려고 찾아드는 아우라지였다. . 그러나 지금은 나루터 옆의 앰프 장치만 요란하게 울리고, 그 소리 따라 강물이 옛날 모습 그대로 잔잔히 여울져 흐를 뿐이다.

아우라지로 흘러드는 골지천은 ‘골지내’라고 부르던 내를 한자어로 표기한 것이다. ‘골지’는 강원도 사투리로 ‘골짜기’를 뜻한다. 이 내는 두타산에서 발원해 삼척시 하장면과 정선군 임계면을 거쳐 흐른다. ‘아우라지’는 이처럼 골지내와 솔내의 두 물줄기가 아울렀다고 하여 붙여진 땅이름이다.

◉ ‘아우라지’의 ‘지’는 뜻이 없는 접미사
아울ㅎ+지=아울아지

'아우라지'에서 '지'는 아무 뜻도 없는 지명형 접미사이다. '골 짜기'라는 뜻의 '골지', '산이 있는 곳'이란 뜻의 '둠지'처럼 '지'는 땅 이름의 뒷음절로 잘 붙는다. '지'는 격음화해서 '치'가 되기도 해서 '아우라치'라고 하는 땅이름도 있다.

물이 아울러 '아우라지(아오라지)'가 된 땅이름은 전국에 여러 곳 있다. 강원도만 해도 정선군 외에 홍천군 두촌면 철정리, 홍천군 내면 중방대리, 철원군 서면 도창리의 아우라지 등을 들 수 있는데, 모두 물이 아우르는 곳에 위치하고 있다.

아우내, '아우르다'와 '내'가 합쳐진 이름

유관순 열사가 만세운동을 벌였던 아우내는 행정구역상 충남 천안시 병천읍 병천리에 속한다. 이곳 병천읍 일대를 흐르는 냇줄 기 이름이 '아우내'이다. 이는 냇줄기 이름이기도 하지만, 그 냇가 에 있는 마을 이름이기도 하고 장터 이름이기도 하다. 타지 식당에 서 흔히 '아우내 순대'니 '병천 순대'니 하는 것은 이곳의 지명을 따 서 붙인 이름이다. 이곳 장터에서 만드는 순대가 전국적으로 유명 했다고 한다.

'아우내'는 우리말의 '아우르다'는 뜻과 '내'란 말이 합쳐진 이 름으로 원이름 '아울내'에서 ㄹ탈락 현상을 일으킨 말이다. 즉, 두 줄기의 내가 아울러서 한 줄기가 되어 흐른다는 뜻을 갖는다. 마을

❷ 유관순 열사가 만세 운동을 벌였던 아우내는 충남 천안시 병천읍 병천리에 속한다. '아우내'는 이곳의 냇줄기이자 장터 이름이다.

근처의 벌 가운데서 치랏내와 잣밭내가 합해져 이런 이름이 나왔다. '치랏내'는 '칡밭의 내'라는 뜻의 '칡앗내'가 변한 이름으로 한자어로는 '갈전천葛田川'이고, '잣밭내'는 '잣나무밭 사이의 내'라는 뜻으로 한자어로는 '백전천柏田川'이다.

전국에는 '아우르다'는 뜻이 들어간 하천 이름이 많은데, '아우내' 외에 강원도 정선 땅의 '아우라지', 탄광으로 유명한 북한 함경북도의 아오지가 있다.

두물머리, 두 물이 합쳐지다

1974년 5월, 경기도 하남시와 남양주시 사이의 한강에 팔당댐이라는 큰 댐이 생겼다. 경기도 남양주시 조안면과 하남시 천현동

○ ∧ □

(배알미리 근처) 부근을 가로지르는 댐인데, 한강 본류에선 유일하게 다목적 댐이다.

한강 물줄기에서 마지막으로 건설된 이 댐은 1966년 6월에 착공해 무려 8년의 긴 공사 끝에 준공되었다. 워낙 큰 공사여서 당시에 큰 화제를 불러일으켰다. 서울에서의 물난리를 막기 위해 북한강과 남한강이 만나는 팔당 지역에 이 댐을 건설하게 된 것이지만, 부족한 전기를 더 생산하고 수도권 상수원의 확보와 관광자원 개발의 목적도 있었다.

이 근처에는 두물머리나루, 소내나루(우천牛川)와 움앞나루가 있었다. 두물머리나루는 마재 앞의 나루이고, 소내나루는 옛 광주군 남종면 우천리 소내로 건너가는 나루였다. 남양주시 조안읍 능내리의 움앞나루는 광주시 동부읍으로 건너가던 나루였다.

두물머리에서 '두물'은 '두 물줄기'를 뜻하는데, 하나는 북한강

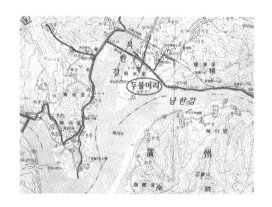

❯ 2000년대 초의 남한강과 북한강이 합해지는 경기도 양평의 두물머리는 북한강과 남한강이 만나는 곳이다.

이고 다른 하나는 남한강이다. 두 줄기의 강물이 합쳐 흐른다고 해서 '두물머리'이고 한자로는 '양수兩水'이다. 아우라지나 아우내와 이름은 다르지만, 물줄기가 합해 흐른다는 점에서는 서로 친척 이름이라 할 수 있다. 이처럼 두 물줄기가 합해 흐르는 곳으로 한강과 임진강이 만나는 경기도 파주의 어을매(교하交河)를 들 수 있다.

'아우라지'라는 이름에서 알 수 있듯 우리 조상들은 서로 의지하고 도우며 오랜 세월을 살아왔다. 자연과 조화를 이루면서 서로를 돕고 살아온 것이다. 땅이름에 깃든 조상들의 깊은 뜻을 발견하는 즐거움이야말로 우리말 땅이름을 배우는 보람이다.

· 친척말 ·

어울림, 어우름, 어울리다, 어르다(어르고 달래다)

· 친척 땅이름 ·

두물거리, 두물깨, 드문개, 두물나드리, 두뭇개, 두무포斗무浦,
어울티, 합수合水, 두물나드리

부록 1

서울의
토박이말 땅이름

가는골 　　　　세곡동細谷洞. 골짜기가 좁아서(가늘어서).

가락골(갈앗골)　　가락동可樂洞. 물 고을. 갈=물 *갈(물)+아+골(마을).

가래여울　　　　상일동, 하일동下一洞. 여울이 갈라지는 곳.

가온한내　　　　중계동中溪洞. 한내(큰 내, 중랑천)의 가운데 동네.

가재울　　　　　가좌동加佐洞. 가장자리 마을.

간뎃말(가운뎃말)　중곡동中谷洞. 가운데에 있어서.

갈고개　　　　　갈현동葛峴洞. 갈나무의 고개.

감은들(검은돌)　　현석동玄石洞. 검은 돌이 있어서. *'감다'와 '검다'는 같
　　　　　　　　은 뜻.

갓뫼(산)　　　　관악구 관악산 봉우리가 갓처럼 생겨서. *갓(머리에 쓰
　　　　　　　　는 것)+뫼.

갓우물골　　　　입정동笠井洞. 갓 모양의 우물이 있어서.

개패　　　　　　개포동開浦洞. 개펄.

거북뫼　　　　　구산동龜山洞. 거북이처럼 생긴 바위산이 있어서.

검은돌　　　　　흑석동黑石洞. 검은 돌.

고개밑　　　　　현저동峴底洞. 무악재 밑.

곰달내(곰달래)　　신월동新月洞. 넓은 들의 내. 검=큰, 달=들.

광나루(광진廣津)　광장동. 큰 나루가 있어서.

구루지(굴지)　　구로동. *의미 불명.

구름재(운현雲峴)　진골. 운니동雲泥洞. 구름 고개. 땅이 질어서.

구리개(동현銅峴)　을지로. 구릉진(낮은) 지역. *굴(낮은 곳)+개(장소).

구멍바위(공암孔岩)　가양동. 구멍 뚫린 바위가 한강가에 있어서.

구텃굴	구기동舊基洞. 옛 터.
굽은다리曲橋	천호동. 굽은 들이 있어서.
궁우물골	궁정동宮井洞. 궁의 우물이 있어서.
기리울	길동吉洞. 마을이 길게 이어져서.
길마재(안산鞍山)	서대문구 안산. 산 모양이 길마(안장)처럼 생겨서.
까치내	은평구 불광천. 들 가장자리의 내 *갖(갓)+내
꿈말(검말)	몽촌토성蒙村土城. '큰 마을'이라는 뜻. *검말(큰말) 〉 끔말 〉 꿈말(몽촌)

ㄴ

낙골蘭谷	신림동. 전 난곡蘭谷동. 낮은 골짜기. *낙골=낮(낮음)+골.
남산골	남산동南山洞. 남산 골짜기 마을.
너벌섬(느벌섬)	여의도汝矣島. 너른 벌의 섬.
노들(너들)	노량진鷺梁津. 너른 들이 있어서.
녹번이고개	녹번동. 녹색의 금속을 가진 돌이 있어서.
논고개	논현동論峴洞. 논 가운데의 마을.
누아래	누하동樓下洞. 누각 아래의 동네.
능말	능동陵洞. 능이 있어서.

ㄷ

달골(들골)	월곡동月谷洞(상월곡, 하월곡). 들 마을.

달냇골	월계동 川溪洞. 들(달) 가운데 내가 있어서.
당고개堂峴	상계동. 당이 있는 고개.
당뫼	당산동 堂山洞. 당이 있어서.
덩굴내(만초천蔓草川)	서대문구, 용산구를 흐르는 내. 덩굴풀이 많아서. *덩굴+내
도리미	도림동 道林洞. 돌아드는 곳.
독골(독굴, 독구리)	도곡동 道谷洞. 돌이 많아서.
돌고지(돌곶이)	석관동 石串洞. 물이 돌아드는 곳.
돌마리	석촌 石村洞. 돌 마을. *돌+마리(마을)
돌모루石隅	원효로1가 남영역 근처.
되넘이(된넘이)	돈암동. 비탈 심한 고개.
두뭇개豆毛浦	옥수동. 두 물줄기가 합해져서. *두+뭇(물)+개(장소).
두텁바위(두테바위)	후암동. 두꺼운 바위가 남산 비탈에 있어서.
둔지미(이태원동)	산골짜기 마을. 현재는 사라짐.
등마루	등촌동 登村洞. 산등성이 마을.
떡전거리(병점餠店)	회기동. 떡 파는 가게. *떡+전(가게)+거리
똥골(동골)	원효로4가. 등성이 돌아드는 곳.
뚝섬(둑도)	성수동1가. 강을 따라 뚝을 쌓아서.

------------------------------◆ ㅁ ◆------------------------------

마들(마평馬坪)	상계동. 넓은 들.
마른내乾川	인현동1가. 비가 안 오면 늘 말라 있는 내.
마장안골	마장동 馬場洞. 말 목장이 있어서.

만리재	만리동萬里洞. 최만리가 살던 고개.
마른내	중구 건천乾川. 비가 안 오면 말라 있어서. *마른(물이 적은)+내
말그내	양천구 안양천. 냇물이 맑아서 *맑은+내
말죽거리	역삼동驛三洞. 말죽을 먹이던 곳.
맑은내	종로 중구 청계천. 냇물이 맑아서 *맑은+내
매바위(뫼바위)	응암동鷹岩洞. 산(뫼)에 바위가 있어서.
먹골(먹굴)	묵동墨洞. 먹을 만드는 집이 있어서.
먹우물골	묵정동墨井洞. 검게 물이 보이는 우물이 있어서.
모래내	사천沙川. 서대문구.
모랫말	신사동新沙洞(강남구). 모랫벌의 마을.
못골(목골)	목동木洞. 비가 많이 오면 못처럼 물이 고여서.
무너미(무넘이. 모넘이)	수유동水踰洞. 산을 넘는 곳이어서. 모(몰)=산(山) *또는 '물이 넘는다'는 뜻으로 보기도 함.
무당골	신당동新堂洞. 무당이 많이 살아서.
무수막(뭇으막, 무쇠막)	금호동金湖洞. 물가에 있어서. 뭇=물
무아래(물아래)	가리봉동. 물 아래.
문바윗골	정릉동의 한 마을. 문처럼 생긴 바위가 있어서.
물레	문래동文來洞. 방직공장이 많아서.
물치	수색동水色洞. 한강 물이 치밀어드는 곳.
미나릿골	미근동渼芹洞.

○ ∧ □

바람들이(배암들이)	풍납동風納洞. 바람이 들어차는 곳.
바위절	암사동岩寺洞. 바위굴에 부처가 있어서.
박석고개薄石峴	갈현동. 고개에 얇은 돌(박석)을 깔아서.
박우물	도화동. 바위 밑으로 샘이 솟아나는 우물(샘) *박(바위)+우물
발뫼(벌뫼)	발산동鉢山洞. 벌 가운데 작은 뫼(산) *발(벌)+뫼(산)
방앗골	방학동放鶴洞. 방아 마을.
방앗골	방화동傍花洞. 방아 모양의 들이 있는 마을.
방죽말(방축동)	상봉동. 마을 앞에 방죽이 있어서.
배나뭇골梨木洞	동작동.
배다릿골	주교동舟橋洞. 청계천에 배다리를 놓아서.
배오개, 배고개梨峴	예지동.
버던이(버든이)	양평동楊坪洞. 벋은 벌이 있어서.
버티고개伐兒嶺	약수동. 벌티=벌고개. 아이를 '벌 준다'는 뜻.
베선꼴	저동苧洞. 베전(삼베를 파는 가게)이 있어서.
볏골	화곡동禾谷洞. 벼를 많이 재배해서.
복삿골	도화동桃花洞. 복숭아나무가 많아서.
부엉바위	상암동上岩洞. 부엉이처럼 생긴 바위가 있어서.
부침바위(붙임바우)	부암동付岩洞. 아들 낳으라고 돌 붙이는 바위가 있어서.
북고개鍾峴	명동1가. 북을 매단 정루가 있어서.
붓골	필동筆洞. 부部의 중심 고을. 남부南部의 중심 마을.

| 비개(빗개) | 흑석동. 비탈진 곳. |
| 빨랫골 | 수유동. 빨래터가 있어서. |

─────────── ◆ ───────────

사직골	사직동社稷洞. 사직단이 있어서.
살곶이箭串	사근동.
삼개麻浦	마포구 마포동. 의미 불명. 삼개=산개?
새남터(새나무터)	사남기沙南基. 서부이촌동. *새(풀)+나무
새내	신천동新川洞. 샛강.
새다리	신교동新橋洞. 새로 놓인 다리.
새말新村	서대문구 신촌동. 새로 이뤄진 마을. *새新+말(마을)
새말	이촌동(이촌동) 일부.
새문안新門서	신문로新門路. 새 문(돈의문)의 안.
새창고개(새창고고개)	도원동. 새 창고가 있어서.
서리풀(서리풀이)	서초동瑞草洞. 풀이 서려 있어서.
선바위立石	남현동(관악구). 서 있는 바위.
성너머城外	면목동. 옛 성이 있는 등성이 너머 마을.
성미(성이 있는 산)	마포구 성산城山동. *성+미(뫼)
성지물兄弟井	원효로4가. 우물 둘이 형제처럼 이웃해서. *형제 > 성제 > 성지
소공주골	소공동小公洞. 작은 공주가 살아서.
소금골	염리동鹽里洞. 소금 장수들이 많이 살아서.
소금창고골	염창동鹽倉洞.

○ ∧ □

소쟁이(솔정이)	송정동松亭洞. 소나무들이 있는 곳.
솔고개	송현동松峴洞. 작은 고개가 있어서.
솔샘길	미아동彌阿洞. 소나무숲에 샘이 있어서. *솔(소나무)+샘
쇠귀내	성북구 우이천, 쇠귀내(우이동). 마을에서 흘러오는 내. *소+귀+내
쇠귓골(소귀골)	우이동牛耳洞. 쇠귀(소의 귀) 모양의 산. *삼각산의 한 바위가 소 귀 모양임.
쇠물전다리	관철동貫鐵洞. 쇠물전이 있어서. *쇠물(철물)+전(가게)+다리.
숯내	강남구 탄천炭川. 숯처럼 검은 내 *숯+내
순라골	순화동巡和洞. 순라 돌던 곳.
승방뜰	남현동南峴洞. 승방僧房이 있었던 곳.
시루뫼(수리뫼)	증산동甑山洞). 시루를 앉힌 듯한 바위가 있어서. *또는 '수리뫼'가 변한 이름이라는 설도 있음.
신트리	신월동新月洞. 넓은 들 *신(넓게 트인)+들(격음화 '틀')
쌍이문골	쌍문동雙門洞. 이문里門이 둘 있어서.

───────────◆◆◆───────────

o

아래한내	하계동下溪洞. 한내(큰 내, 중랑천)의 아래쪽 동네.
아차뫼	광진구 아차산. 작은 뫼. *앛(작음)+아+뫼
안골	내곡동內谷洞. 안쪽 마을.
애오개	아현동阿峴洞. 북아현동. 작은 고개.
약고개(약현藥峴)	중림동中林洞 일부. 약밭이 있는 고개.

양말산(양마산羊馬山)	여의도(없어짐). 양과 말을 기르던 산. *양+말+산
역말	역촌동驛村洞. 말을 갈아타는 역이 있어서.
연못골	연지동蓮池洞. 동지東池라는 연못이 있어서.
염통골	염곡동廉谷洞. 마을 모양이 염통을 닮아서.
오그미(오금이)	오금동梧琴洞. 고개가 오금처럼 좁아서.
오룻골	오류동梧柳洞. 오동나무와 버드나무가 많아서.
오목내梧木川	안양천. 오목한 지역을 흐르는 내. *오목(우묵하게 들어감)+내
오장삿골	오장동五將洞. 다섯 장수가 살아서.
옥골	옥인동玉仁洞. 옥같은(맑은) 물이 있어서. 인왕산 골짜기.
용머리	용두동龍頭洞. 용의 머리를 닮아서.
윗한내	상계동上溪洞. 한내(큰 내, 중랑천)의 위쪽 동네.
은행나뭇골	행촌동杏村洞.
이문골	이문동里門洞. 이문里門이 있어서.

잔다리	서교동西橋洞, 동교동. 작은 들(다리)이 있어서.
잔버드리	장지동長旨洞. 좁게(잔) 벋은 들.
장승배기	상도동(일부). 장승이 박혀 있던 곳.
장안말	장안동長安洞.
절골	인사동仁寺洞. 원각사 절이 있어서.
점말	면목동의 한 마을. 윗말과 아랫말 사이에 있어서.

제터	제기동祭基洞. 제사 지내는 단이 있어서.
조개우물	합정동蛤井洞. 작은 우물이 있어서. *족(족애)=작음. 지금은 합정동合井洞으로 바뀜.
진고개泥峴	충무로. 고개가 질어서.

ㅊ

찬바람재(한풍현寒風峴)	용산 녹사평역 자리. 찬 바람이 부는 고개.
찬우물	냉천동冷泉洞. 찬 우물이 있어서.
창고골	창동倉洞. 창고가 있어서.
창내	창천동滄川洞. 창고 옆으로 흐르는 내.
창앞	창전동倉前洞. 광흥창 창고 앞의 동네.
청숫골	청담동淸潭洞. 마을 앞쪽 한강 물이 맑아서.

ㅋ

큰고개(내현大峴)	만리재.

ㅌ

탑골塔洞	종로2가. 원각사 탑이 있어서.

팔판섯골   팔판동八判洞. 여덟 판서가 살아서.

ㅎ

학여울(학탄鶴灘)   대치동. 한여울의 변음. *한+여울

한가람   서울 한강漢江. 큰 강 *한+가람(강)

한내(한천漢川)   노원-중랑구 등. 큰 내. 한자로는 한천漢川, 한계漢溪
                       *한(큰)+내

한내   상계-중계-하계동. 큰내(중랑천)가 들 가운데로 흘러
                       서.

한티(한치)   대치동大峙洞. 큰 고개가 있어서.

황토마루(黃土마루)   광화문 네거리 남서쪽.

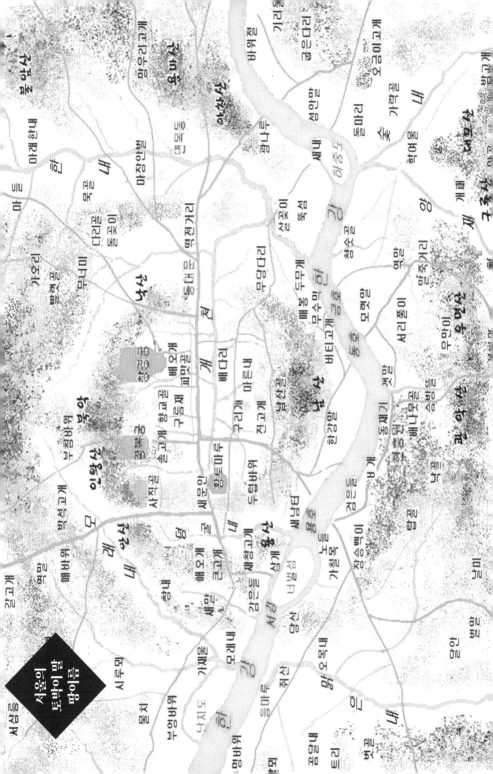

부록 2

새로 생겨난
우리말 지명 이야기

서울시 송파구 거여동, 장지동 일대와 경기도 하남시 학암동, 성남시 수정구 창곡동, 복정동 일대, 즉 남한산성이 있는 청량산 서쪽, 이곳의 너른 평야는 개발을 시작할 때부터 원래 '송파신도시'로 불려 왔다. 이 '송파신도시'를 다른 이름으로 바꾸게 된 이유가 있다. 서울시 송파구와 함께 이 지역의 신도시를 3분하고 있는 경기도 성남, 하남시가 신도시 이름에서 '송파'를 빼 달라고 요청했기 때문이다.

이에 한국땅이름학회, 한국지명학회, 국학연구소 소속의 전문 학자 등 11명으로 명칭공모 심사위원단(위원장 배우리)을 구성해 2007년 5월, 약 2시간에 걸친 심사 끝에 '위례신도시'를 선정했다.

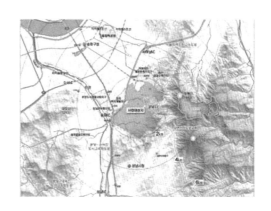

▶ 2007년 위례신도시
개발 당시 지도이다.

이렇게 해서 이곳이 '위례신도시'라는 이름으로 널리 알려지게 되었다.

학자들은 위례가 '담'이나 '울타리'를 뜻한다고 보고 있다. '울' 또는 '우리(울애)'에서 나왔다는 설과도 거의 일치한다. 필자는 지금도 위의 과정을 설명하며 '위례신도시'라는 이름이 필자가 결정해 붙여진 이름이라고 자랑삼아 말한다. 아울러 새 도시가 형성되면 이처럼 우리의 옛 이름을 살려 지어 붙이는 것이 중요하다고 강조한다.

빛가람신도시, 가장 한국적인 것이 가장 세계적인 브랜드 가치를 가진다

전남과 광주광역시는 공동혁신도시의 지명도를 높이기 위해 2007년 9월 한 달 동안 국민을 대상으로 혁신도시 명칭공모를 했다. 그리고 그해 12월 접수된 이름들 중 '빛가람신도시'를 선정했다.

원래 '광주·전남 공동혁신도시'로 불리던 것을 '빛가람신도시'로 공식 사용하게 됐다. 이름을 심의한 필자도 '빛가람신도시'를 강력히 주장했는데, 많은 위원이 동참해 쉽게 정할 수 있었다. '빛여울', '한빛시', '비추벌', '샛별', '하나혁신도시'라는 이름도 거론되었으나 논의 과정에서 배제되었다.

'빛가람'은 광주光州를 대표하는 '빛'과 전남의 젖줄인 영산강

(가람)을 조합해, 공동혁신도시의 상징성과 지역 특성을 잘 표현했
다는 평가가 나왔다. '빛'과 '가람'은 순수 우리말로 누구나 쉽게 부
를 수 있고, 가장 한국적인 것이 가장 세계적인 브랜드 가치를 가진
다는 면에서 대중성과 국제성을 잘 나타냈다는 평가를 받았다. 마
침 이 신도시에 한국전력 같은 에너지 기업, 인터넷 업체들이 속속
들어서면서 이 이름은 더욱 빛을 발하게 되었다.

미사대교,
미사대교와 덕소대교 중에서 택일

2008년 9월 서울지방 국토관리청 대회의실에서 경기도 하남
시와 남양주시 사이 한강에 놓인 다리 이름을 짓기 위한 위원회가

열렸다. 위원장은 한국땅이름학회 회장인 필자가 맡았다. 먼저 각 지자체 대표의 충분한 의견을 듣고 토의를 했는데, 미사대교와 덕소대교의 주장이 팽팽히 맞섰다.

하남시에서는 전체 교량의 대부분이 하남시에 있고 미사 선사유적, 미사리 조정경기장 등 역사성, 상징성, 가치성이 높다고 주장했다. 남양주시에서는 서울–춘천 간 고속도로 이용자는 주로 남양주 시민이고, 남양주를 지나는 도로 길이가 무척 길며 주거 인접 지역인 '덕소'의 인지도가 높다고 주장했다. 위원 일부에서는 제3의 이름인 아리수대교나 미호대교를 거론하기도 했다. 미사덕소대교나 덕소미사대교, 또는 미덕(미사+덕소)대교 같은 이름도 거론되었다.

회의에서는 미사대교와 덕소대교 중에서 택일하기로 결정하고 투표에 부쳤다. 그 결과, 하남시의 미사대교가 다수로 나와 이걸

❯ 미사대교 전경. 근처에는 미사 선사유적, 미사리 조정경기장 등이 있다.

로 확정지었다. 미사대교라는 이름을 확정하고 나서 위원장인 필자는 남양주 시민들로부터 엄청난 항의를 받았다.

두성호, 시추선 이름에 대통령 이름이?

1983년 겨울, 전두환 대통령 시절이었다. 당시 거제조선소(대우조선)에서 우리나라 최초의 석유 시추선 건조가 완성되는 단계였는데, 이 회사의 이사 한 명이 대리를 대동하고 필자를 찾아왔다. 석유 시추선이 순전히 우리 기술, 우리 힘으로 만들어져 이름이 필요하다며 작명을 요청했다. 우리의 기술로 만든 시추선이기에 우리식 이름을 요구했다. "세계의 바다, 태평양, 대서양, 인도양 등을 누비며 해저 자원을 살필 우리나라 최초의 시추선. 그 이름을 짓는다?"

상당히 의미 있는 일을 맡았다는 사실에 마음이 뿌듯했다. 더구나 우리식 이름을 짓자고 하니 당연히 필자가 할 일이라고 생각했다. 이 이름만큼은 정말 잘 짓고 싶어 온 정성을 쏟아 이름을 지었다. 바다의 시설물이기에 우선 바다를 생각했고, 그 바다를 제패할 이름이어야 한다고 생각했다.

마침내 '미르칸'이라는 이름이 나왔다. '바다의 왕(용왕)'이라는 뜻을 가진 이름이었다. '미르'는 '용龍', '칸'은 '으뜸을 뜻한다. 조선소 측에서는 누구도 생각할 수 없는 기발한 이름이 나왔다며 좋아했다. 얼마 후 조선소에서 '미르칸'이 채택되었다는 소식이 왔다. 그 기쁨은 이루 말할 수 없었다.

곧 경남 거제에서 시추선을 바다에 띄워 명명식을 개최할 예정이고, 대통령과 관련 장관 등 내빈들이 올 것이라고 했다. '미르칸'이라는 이름의 뜻을 설명하는 브리핑까지 준비했다. 진수식에서 당당히 이름 설명을 하게 된 것이 자랑스럽기도 했다. 더욱이 대통령 내외가 입회한 자리여서 브리핑 원고를 몇 번씩 고치고 다듬었다.

마침내 진수식 날이 왔다. 조선소 측에서 차를 보내 준다고 해서 필자는 모든 준비를 마치고 차가 오기를 기다렸다. 그런데 이게 웬일인가? 약속 시간이 지났는데도 오지 않는 것이었다. '진수식 시간이 좀 늦춰졌나?' 하며 기다리는 동안 하루가 저물었다. 도대체 어떻게 된 일인지 알 수가 없어 몹시 답답하고 초조했다.

그날 저녁 뉴스에 진수식 소식이 흘러나왔다. 흥분된 가슴을 안고 "시추선의 이름은 '미르칸'으로 지어져……" 하는 뉴스가 전해지기를 바랐다. 그런데 이게 웬일인가? "두성호로 명명된 이 시추선은 앞으로 우리의 근해는 물론 멀리 해외에까지 나아가……."

뉴스에서는 생각지도 못한 말이 흘러나오고 있었다. 심장이 쿵 하고 떨어지는 것 같았다. '뉴스가 잘못 나온 것이겠지. 채택된 이름 '미르칸'을 설마 버렸을까?' 생각하면서 계속 뉴스 내용을 부정했다.

그렇게 며칠이 지나고 그 선박회사의 대리가 찾아왔다. 그만한 사정이 있었다고 했다. 시추선 이름이 바뀌었는데 그 전후 사정을 말해 줄 수가 없지만, 나중에 이유를 알게 될 것이라 했다. 필자는 할 말을 잃었다.

그가 가고 난 후에 주고 간 기념품을 뜯어 보았다. 탁상시계였는데, 거기에는 이런 글귀가 쓰여 있었다. "한국석유시추선 斗星號. 준공 및 명명식 1984.4. ○○석유개발○○. ○○조선공업(주)" 기념품을 보자 '미르칸'이란 이름은 멀리 날아가 버렸고, 시추선 이름이 '두성호'로 정해졌음을 다시 실감하게 되었다. 한숨도 나오지 않는 시간이 한참 흘렀다.

그런데 그 일에 얽힌 진실을 얼마 후에 알게 되었다. 아들 이름을 지으려고 필자를 찾아온 손님에게 '미르칸'이 '두성호'로 바꾸게 된 사연을 들을 수 있었다. 그 손님은 그 조선소 담당 부서에 근

❯ 우리나라 최초의 석유 시추선 두성호이다.

★ 거제조선소 제공

무해서 '두성호'라는 이름이 정해진 전후 사정을 모두 알고 있었다. 그는 이 일이 대통령과 관계있으니, 그 사실을 세상에 알리지 말라고 당부하며 이야기해 주었다. 조선소에서는 '미르칸'을 결정했으나, 청와대에서 진수식 바로 전날 느닷없이 '두성호斗星號'라는 이름을 보내왔다는 것이다. 이 이름은 당시 전두환 대통령 이름 '두환'의 첫 글자와 영부인 이순자의 본향 '성주星州'에서 한 글자씩 따서 지은 것이란다.

분노가 치밀었다. 선박 이름에 대통령이 왜 개입을 하나? 시추선 이름에 왜 대통령 관련 글자가 들어가야 하나? 청와대로 달려가 따지고 싶었다. 그렇지만 필자는 그 사실을 세상에 바로 알릴 수 없었다. 만약 그런 사실을 발설하면 큰 문제가 생길 수 있다는 생각도 들었다. "임금님의 귀는 당나귀 귀."

필자는 한동안 신라 경문왕의 '귀 설화'에 나오는 이발사처럼 입을 꾹 다물고 살 수밖에 없었다. 사람들은 석유 시추선이 '두성호'라는 것은 잘 알고 있었다. 그러나 그 이름이 발표되기 이전에 '미르칸'이라는 이름이 지어졌다는 진실을 누가 알겠는가.

하나은행, 은행 이름에 우리말 이름이 처음으로

우리나라에는 우리은행, 하나은행 등 순우리말 은행들이 있다. 지금은 없어졌지만 한빛은행, 서울은행, 보람은행 등의 순우리

말 이름도 있었다. 그중 우리나라 최초의 우리말 은행 이름은 '하나
은행'이다.

1991년 2월 19일 낮 2시쯤 한 투자금융회사의 관계자들이 필
자의 사무실을 찾아왔다. 그들은 새로 설립할 은행 이름을 부탁했
다. 당시 그들은 은행 설립을 위해 일본의 금융 기관들을 먼저 돌아
보고 왔다면서, 그 나라에서 '토마토은행'이란 화끈한(?) 이름에 매
우 눈길이 쏠렸다고 했다. 기존의 한자 이름 대신 순우리말 이름을
지으면 좋겠다는 것이었다.

이에 앞서 직원들에게 응모를 먼저 받아 보았는데, 이를 참고
해 새로 짓거나 선택해 달라고 했다. 필자는 이제 우리나라에서도
은행 이름이 우리말로 탄생된다니 너무도 기뻤다. 그리고 그런 일
을 필자가 하게 되었다는 것이 자랑스러웠다.

그동안 우리나라에는 조흥은행, 신탁은행, 제일은행, 상업은행

● 하나은행의 탄생,
  최초의 우리말 이
  름 은행이다.

같은 한자식 이름만 있어 왔는데, 은행 업계에서도 순우리말 이름이 탄생한다고 생각하니 기분이 좋았다. 고심 끝에 이름 5개(하나은행, 서로은행, 한그루은행, 가마은행, 한가득은행)를 지어서 보냈더니, 며칠 후에 '하나은행'으로 결정했다고 알려 왔다.

이것이 인연이 되어 몇 년 뒤, 이 은행에 딸린 '한마음연수원'이란 이름도 지어 주었다. 당시 이름을 받아 간 하나은행 교육기획 담당 팀장은 상사에게 '하나은행'의 작명 이야기를 들었다며 감사의 말을 대신 전해 주었다.

하나은행은 이제 많이 알려진 이름이다. 아쉬운 점은 이런 순우리말 이름의 은행 중에 한빛은행, 서울은행, 보람은행은 이제 사라지고 없다는 것이다.

사랑채, 외국 귀빈을 맞이했던 곳

2011년 4월, 청와대에서 연락이 왔다. 경호처 주무관을 통해서였다. 그 당시 새로 지은 한옥식 건물 이름을 순우리말로 지어 달라는 것이었다. 그 주무관은 조경에 관해서는 전문성이 대단한 사람이었다.

주무관의 연락을 받고 해당 건물을 보러 갔다. 정말 멋있는 건물이었다. 주위 조경도 잘되어 있었다. 이 건물은 주로 외국 귀빈이 우리나라를 방문했을 때 맞이하는 장소로 이용한다고 했다. 주무

관은 건물 이름을 꼭 순우리말로 멋지게 지어 달라고 했다.

여러 날 고민을 거듭해 나온 이름은 '한울의집', '사랑마루', '다솜방', '사랑채', '뜨락채'였다. 얼마 후 청와대 측에서는 이 이름들 중 '사랑채'를 택했다. 그동안 청와대에서는 순우리말 이름보다는 한자어 이름을 선호해 왔다. 그런 의미에서 '사랑채'란 순우리말 이름의 채택은 중요한 의미를 갖는다.

압구정로데오역, 재심의로 바뀐 결정

2012년 7월 말, 강남구청에서는 압구정동과 청담동 사이에 건설된 분당선의 한 신설역 이름을 결정해달라고 한국철도공사에 요청했다. 그런데 주민들의 의견을 들어 압구정로데오역, 청수나루역 두 가지 중에 하나로 해달라는 전제조건이 있었다. 이에 공사에 서는 8월 8일 역명 심의위원회(위원장 배우리)를 열었고, 위원회에 서는 표결을 통해 청수나루역으로 결정했다.

그러나 압구정동의 주민들이 이 이름을 받아들일 수 없다며 지자체인 강남구청을 통해 '압구정로데오역'으로 해 달라고 강력 히 요구해 왔다. 필자는 이미 청수나루역으로 결정한 사안이라 재 심의는 불가하다고 통보했다.

그러나 워낙 지자체의 요구가 강해서 다시 위원회를 소집할 수밖에 없었다. 결국 위원회를 열어 투표를 실시했다. 그런데 투표 결과가 찬성표(압구정로데오역)와 반대표(청수나루역)가 똑같이 나왔 다. 위원장인 필자의 한 표로 결정될 수밖에 없어서 한동안 고민에 빠졌다. 곰곰이 생각해 보니 '압구정로데오역'이 지역 특성에 잘 맞 는 것도 같았다. 망설이던 중에 갑자기 강남구청장이 찾아와 주민

❯ 압구정로데오역 심 의(2012년 9월). 처음에는 '청수나루 역'으로 결정했으니 재심의를 거쳐 이름 이 바뀌었다.

○ ∧ □

들이 간절히 원한다며 '압구정로데오역'으로 결정해 달라며 간곡히 요청했다. 마음이 약했던 필자는 결국 '압구정로데오역'에 도장을 찍어 주었다. 잘된 이름인지는 모르나 지나 놓고 보니 괜찮은 것도 같았다. 지금은 이 역이름을 필자가 결정했노라고 당당히 말한다.

가평역, 부역명으로 정보를 전달하다

"남이섬 가려는데 어떻게 가지?"

"경춘선 타고 가면 되지."

"경춘선에 남이섬역이 없잖아."

"있어."

"근처에 가평역만 있는데⋯⋯."

"그게 남이섬역이야."

알고 있을까? 경춘선역에 남이섬역이 있다는 사실을. 그러나 이 역이름은 부역명이라 괄호 속에 '자라섬-남이섬'이라고 써 놓고 있어 잘 알지 못한다.

2010년 9월 8일, 코레일 역명 심의위원회에 위원장으로 참석해 이 역이름을 부역명으로 넣기로 결정했다. 잘한 일일까? 필자도 선뜻 결론을 못 지었다. 가평 시내를 찾아가는 사람도, 남이섬을 가려는 사람도 경춘선 어느 역에서 내려야 하는지를 알게 하려면 이처럼 부역명으로 넣는 방법도 괜찮을 것 같았다. 그러나 역이름을 두 가지 이상으로 결정하면 사람들에게 혼선을 줄 수 있다는 생각도 했다.

철도역에서 병기역명, 부역명으로 되어 있는 것이 한둘이 아니다. 천안아산역-온양온천역, 울산역-통도사역, 김천-구미역, 이촌역-국립박물관역, 숙대입구역-갈월역. 그런데 일반인은 역명, 부역명으로 되어 있다는 사실을 잘 알지 못한다. 그러나 지하철을 이용하는 사람들은 역이름 중에는 주역명 외에 부역명이나 부기역명이 있다는 사실을 알아 둘 필요가 있다. 당시의 뉴스를 보자.

경춘선 복선전철 부기역명이 결정됐다. 부기역명이란 원래 역이름과 함께 나타내는 역명이다. 부기역명은 역명 아래에 괄호로 적혀 있다. 코레일은 2010년 12월 경춘선 복선전철 구간이 개통됨에 따라 역명부기심의위원회(위원장 배우리)를 열어 7개역 8개 기관 부기역명을 최종 확정하여 발표했다.

부기역명의 예로는 춘천역 '한림대', 남춘천역 '강원대', 백양리역 '엘리시안 강촌', 굴봉산역 '제이드가든', 가평역 '자라섬-남이섬', 상천역 '호명호수', 갈매역 '삼육대'가 있다.

_경춘선 복선전철 부기역이름 결정.
코레일, 7개역 확정,《아시아경제》, 2010.09.13.

아산역? 천안역? 2003년 봄, 역이름 문제로 두 지역(천안-아산) 간의 첨예한 갈등이 빚어졌다. 그 갈등의 틈바구니에서 필자를 비롯한 역이름 제정 위원들은 수개월 동안 애를 먹었다.

2002년 초부터 충남 아산-천안에 신도시가 생기고, 여기에 고속철도역이 생긴다는 소식이 나돌자 전국의 이목이 집중되었다. 해당 지자체는 개발에 대한 기대감으로 잔뜩 마음이 들떴다. 역 개통 전에 역이름을 확정해야 해서 고속철도 역명 제정위원회가 구성되었다. 필자도 한국땅이름학회장 자격으로 위원회에 참여했다. 그런데 천안과 아산 사이의 역이름을 두고 두 지역의 대립이 만만치 않았다. 천안시와 아산시가 서로 자기 지역 이름을 넣어야 한다고 주장했다.

아산시에서 주장하는 '아산역'은 역사驛舍가 있는 지역이 아산 땅이기 때문이고, 천안시에서 주장하는 '천안역'은 이 역의 이용자 대부분이 서울과 천안을 왕복하는 사람들이니 이용자 위주의 이름을 지어야 한다는 것이다. 아산시에서는 역이 아산시 배방면 장재리에 있으므로, '아산역'이 아니면 차선으로 '장재역'으로 해야 한다고도 했다. 인물이 많이 난 아산 고을이니 '충의역'이나 '이순신역'으로 해도 좋다고 했다. 천안시 쪽에서는 '천안역'이 안 된다면 '신천안역'이나 '천안아산역'으로 하자고 대안을 제시했다.

위원회에서는 두 지역 이름에서 한 글자씩 따서 '천산역', '아천역', '아안역' 중 하나로 정하자고도 했다. 그러나 양측이 모두 반대하고 어감이 좋지 않아 논의에서 배제되었다.

'천안역' 또는 '천안아산역'으로 이름이 거의 확정되는 단계에 이르자, 아산시 측에서는 역이름이 꼭 '아산역'이 되어야 한다는 요지의 글을 여러 곳에 올렸다. 역 건물의 위치가 아산 땅인 데다가 아산에는 유적지도 많고, 역사적인 인물도 많아 역이름으로 '천안'은 어울리지 않는다는 것이었다. 역이 들어설 곳에 아산신도시도 생길 것이니 더욱 그렇다고 했다.

그러나 위원회의 결정은 천안아산역이었다. 이름을 결정한 후에도 아산시 측은 이를 반대하고 '아산역'으로 해야 한다고 주장했다. 주요 기관에 부당함을 알리는 대대적인 운동도 펼쳤다. 그러자 아산시의 입장을 일부 고려해 최종 결정 기관에서는 부역명으로 '온양온천역'을 괄호 안에 넣어 주는 것으로 마무리됐다. 그래서 지

● 2003년 3월, 위원회
는 천안아산역으로
역이름을 결정했다.

금도 이곳의 역이름에는 부역명으로 '온양온천역'이 들어가 있는데 아산시를 배려한 조치다.

김천(구미)역,
두 지역 모두 수긍할 수 있는 이름

　역이름을 정할 때는 순조롭지 않을 때가 많다. 역의 위치가 두 지역에 걸쳐 있을 때는 '역명 쟁탈전'이 벌어지기도 한다. 그래서 두 지역이 서로 어느 정도 수긍할 수 있는 이름으로 결정하는 일이 많다. 두 지역을 합성해 '천안아산역' 같은 이름이 나온 것이 그 예이다.

　경북 김천혁신도시에 완공된 KTX 역사의 명칭을 놓고도 논란이 일었다. 김천(구미)역은 2010년 11월 경부고속선 2단계 구간 개통과 함께 영업을 시작한 김천시 남면 옥산리에 위치한 역이다. 지역사회의 오랜 노력 끝에 김천과 구미의 산업단지와 김천혁신도시를 오가기 편한 고속철도역이 신설되면서 주민들의 큰 환영을 받았다. 역이름을 정할 때 위원으로 참여한 필자도 김천역, 구미역 중 어느 이름으로 정할지 고민이 따를 수밖에 없었다.

　구미시와 김천시는 역이름을 두고 서로 의견을 좁히지 못했다. 김천시는 역이름을 확정하고자 지역 기관장 및 범시민공공기관유치위원 간담회 등을 열어 여론을 수렴했다. 그 결과 '김천역'을

내세우기로 했다. 그러나 구미시는 이 결정을 받아들이지 않았다. KTX 역사 건립 확정 당시 구미시가 역이름에 구미를 명기한다는 조건으로 지방분담금 중 많은 액수를 부담키로 했기 때문이다. 역은 구미시 경계에서 10킬로미터쯤 떨어져 있다. 구미시는 역사 명칭이 '김천역' 또는 '신김천역'으로 최종 결정될 경우 분담금을 낼 수 없다고 버티며 경상북도청과 국토해양부를 방문해 항의도 했다.

KTX 역사 명칭은 국토부의 철도건설사업 지침에 따라 해당 지자체의 의견 수렴과 역명심사위원회를 거쳐 결정하고, 국토부 장관 명의의 고시로 확정되게 되어 있다. 철도공사에서는 역명 제정 심의위원회를 열어 김천시와 구미시에서 각각 제시한 역명을 놓고 회의를 거듭했다. 그 결과, 구미시에서 양보해 역이름은 김천 (구미역)으로 확정됐다.

역명제정위원회의 일원인 필자는 이처럼 변칙적인 이름이 나오는 것이 못마땅해 양 지자체 중 어느 한 곳이 양보해 '김천역' 또는 '구미역'으로 할 것을 강력히 요구했지만 어느 한쪽에서도 물러서지 않았다. 결국 두 지역의 이름이 들어간 '김천(구미)역'이 되고 말았다.

광운대역은 원래 성북역이었다. 일제강점기인 1939년 7월 25일 개통한 이래 경원선의 핵심 역이었고, 1974년 8월 15일 서울 지하철 1호선이 개통되면서 일반 열차 정차역과 함께 전철역 기능도 겸하게 되었다. 처음에는 연촌역硯村驛으로 불렀고, 1963년 성북역으로, 2013년 2월 25일 광운대역으로 이름이 바뀌었다. 성북역은 현재 노원구에 속해 있지만, 성북구에 소재하는 것으로 오해할 우려가 있었다. 이에 이용객들의 혼란을 방지하기 위해 개정을 추진했다.

노원구청에서 주민들에게 명칭을 공모한 결과, 광운대역(광운대입구역 포함)을 원하는 의견이 80.1퍼센트로 대다수 주민들이 광

❯ 광운대역은 기차역
   과 전철역 기능을
   겸하고 있다.

운대역을 선호해 지자체에서 성북역 역명 개정을 추진하게 된 것이다. 원래 대학교 명칭은 역명으로 정하지 않는 것이 원칙이지만, 적합하다면 예외 규정에 따른다.

역명제정위원회에 참여한 필자는 이곳의 옛 땅이름을 역이름으로 넣자고 주장했지만 받아들여지지 않았다. 결국 주민들이 원하는 이름인 '광운대역'이 되었다. 광운대학교는 성북역 주변에서 공공성을 가진 유일한 기관이다. 더욱이 이 역 주변 500미터 반경에는 공공성을 가진 대표 기관이 없고 아파트와 일반 주택가, 그리고 광운학원 산하의 학교(광운대학교, 광운전자공업고등학교, 광운중학교, 광운초등학교, 광운유치원)만 있다. 그렇기 때문에 광운대학교를 대표적인 기관으로 보아 이 이름으로 정하게 된 것이다.

울산역(통도사), 시민들의 공모로 탄생한 이름

경부고속철도 울산역(가칭) 이름으로 어떤 것이 가장 좋을까? 2010년, 울산시는 시민들을 대상으로 한 달 동안 역이름을 공모했다. 그 결과 112가지나 되는 다양한 명칭이 접수됐다. 접수된 역이름에는 서울산역, 신울산역, 통도사역, 울산역, 울산역(통도사)에다 고래역, 돌고래역, 울산포유Ulsan for You역이란 이름도 있었다.

규정에 따라 관할 지방자치단체(울주군)의 의견도 물었다. 물

◑ 울산역은 하루 평
균 1만 7천여 명
이 이용한다.

론 '역명驛名 제정 기준'에도 맞춰야 한다. 한글 역이름이면 6자를 넘
지 않아야 한다. 신설 역이름이 동해남부선의 기존 역이름과 겹치
면 기존 역이름은 다른 것으로 바꿔야 한다.

　울산시 교통정책과는 여론 수렴을 거쳐 이곳에 걸맞은 역이름
하나를 골라 달라며 한국철도공사에 최종 작명을 의뢰했다. 당시,
울산시의회 산업건설위에서 진행된 '경부고속철도 울산역(가칭) 명
칭 선정 관련 업무보고'도 여론 수렴 절차의 하나였다. 가장 선호한
역이름은 '울산역'이었다. '울산역'은 현 시점에서는 사실상 울산 유
일의 역이다. 하지만 2010년 5월 말 당시, 공정 71퍼센트가 진행된
경부고속철도 울산역이 개통되는 그해 11월 이전에 이름을 뺏길지
도 모르는 운명이 앞을 가로막았다. 그야말로 '간이역' 신세로 전락
할 처지에 놓인 것이다.

　그 대안이 될 만한 이름 몇 가지를 내놓았다. 남울산역, 동울산

역, 삼산역 등이다. 그러나 혼동을 일으킬 수 있어 '남울산역'은 배제되어야 한다는 의견이 나왔다. 경부고속철도가 장차 중국과 러시아로 이어질 날을 염두에 두고 역이름을 짓는 게 좋겠다는 의견도 나왔다.

울산시에 속한 울주군도 역이름에 관한 의견을 냈다. 10킬로미터 거리의 통도사를 감안해 '울산역(통도사)'이 좋겠다는 것이었다. 그러자 양산시에서는 "현재의 '울산역(통도사)' 역명에 통도사가 부기돼 있지만, 양산이라는 지명이 미표기되어 통도사가 울산에 있다고 오인하게 만들 수도 있다고 지적했다. 그 여파로 적지 않은 혼선과 불편이 빚어질 수 있으니, '울산역(통도사)'을 '울산역(양산 통도사)'으로 변경해 달라고 했다. 그러나 국토교통부와 코레일 등 관계 기관에서는 이를 반영하지 않았다.

울산역(통도사) 이용객은 하루 평균 1만 7천여 명으로 경부선 KTX 정차역 중 서울역과 부산역, 동대구역, 대전역, 광명역 다음으로 이용객이 많다. KTX 울산역은 양산 통도사와 불과 10킬로미터 거리에 있어 양산 이용객도 상당수를 차지한다.

오송역, 이름은 짧을수록 좋다

충북 청주시 청원군 강외면 오송리에 들어선 고속철도역의 이름은 '오송'이다. 한국철도공사는 2010년 7월 경부고속철도 제1

차 역명 심사위원회 개최를 앞두고 충청북도청에 역명 관련된 의견을 제공해 달라는 공문을 발송했다. 이에 충청북도청은 청주시의 '청주오송역', 청원군의 '오송역' 중 청원군의 역명 의견을 수용해 철도공사에 제출했다. 당시 충청북도청은 옛 지명을 살리고, 자연마을 명칭을 사용하면 좋을 것 같아 '오송역'을 추천했다. 또한 공문을 통해 오송이 대내적으로 인지도가 부각되고 있는 점을 감안했다는 설명도 덧붙였다.

그러나 전자는 지명학자들이 주장하는 '고속철도 역명의 경우 역사가 위치한 지점의 시·군명이 적절하다'는 주장과 배치되는 내용이다. 또 후자는 첨복단지, 메디컬시티 같은 오송의 각종 기반 시설만을 염두에 둔 것으로, 향후 청주·청원 통합은 전혀 고려하지 않았음을 보여 주고 있다.

반면 청주시는 역명을 '청주오송역'으로 해야 하는 이유로, 오

❯ 2010년 7월, 오송
  역 이름 심의 모습.

송의 인지도가 낮아 외지인이 청주를 찾아오는 데 불편이 예상된 다는 점을 들었다. 또 차후 청주시와 청원군이 통합되면 가칭 '오송 역' 지역이 청주시로 편입돼, 당연히 '청주'가 역명에 표기되어야 한 다는 점을 거론했다. 청주시의 의견은 현재의 상황을 정확히 꿰뚫 은 것으로, 만약 청주안으로 최종 결정된다면 아무런 갈등이 발생 하지 않을 것이라 했다. 그런데 청원군은 오송역으로 결정한 배경 에 대한 사유를 명기하지 않았다.

여론 주도층을 대상으로 조사해 보니 '청주오송역' 71.4퍼센 트, '오송역' 18.7퍼센트로 나타났다. 역명 제정 위원회에서는 '오송 역'과 '청주오송역'에 대한 의견이 팽팽히 맞섰다. 역명 심의위원들 간의 의견이 하나로 결집되지 않자 비밀투표를 했다. 그 결과 '오송 역'이 많이 나와서 그것으로 역이름을 결정했다.

필자는 '오송역'을 강하게 주장했다. 이름은 짧을수록 좋다고 도 강조했다. 지금은 오송공업단지, 오송바이오밸리 등 여러 시설 이 들어서 있다. '오송역' 이름의 결정은 참으로 적절한 것이었다.

평촌역, 토박이 땅이름이 밀리다

우리나라의 지하철 역이름들을 보면 너무나 한심하다는 생각 이 든다. 당국에선 지하철 이용객들을 모두 대학생으로 알고 있는 지 '~대학역', '~대학입구역'투성이다. 그런데 그런 역에서 내려 막상 대학을 찾아가 보면 거리가 꽤 떨어진 경우가 많다. 예컨대, 서울대입구역에서 서울대 정문까지 가려면 2킬로미터가 훨씬 넘는다. 걸어서 가기엔 너무 버겁다. '서울대'란 이름을 역이름으로 단 것은 너무 불합리하다.

이런 관행 때문인지 이젠 새로운 역이 생길 때마다 근처의 대학교에서는 학교 이름을 넣어 달라고 요구한다. 학교에서뿐만 아니라 일대 주민들까지 학교 이름을 넣어 달라고 한목소리를 낸다. 한 예로 '숭실대입구역'을 들 수 있다. 상도동 쪽에 들어선 새 역에 '살피재역'이라는 이름을 임시로 붙이고 공사를 한창 진행했다. 주민들이 역이름을 '숭실대입구역'이라고 해달라고 강하게 요구해 역이름이 그렇게 정해졌다.

안양 쪽으로 지나가는 과천선의 한 역이름은 원래 '벌말역'이었다. 이 이름을 잘 사용해 왔는데, 얼마 후 이것을 '평촌역'으로 바꾸었다. 이곳은 원래 넓은 벌판 한가운데 있는 마을이라 해서 '벌말'이라고 불렸다. 이 '벌말'을 한자로 바꾸어 표기한 것이 '평촌坪村'이다. 시민들의 입에 익어 왔던 역이름을 다른 것으로 바꾸어서 혼선을 자초한 것이다.

1998년 1월 7일, 필자는 안양시장으로부터 한 통의 공문을 받았다. 그 며칠 전에 한국땅이름학회의 이름으로 보낸 공문에 대한 답신이었다. 안양시장 앞으로 '평촌역을 벌말역으로 돌려달라'고 요구한 내용이었는데, 지역 주민들의 반대로 그 요구가 불가하다는 것이었다. 정말 지역 주민들이 반대했는지 알 수는 없지만, '지역 주민들의 반대'라는 간단한 이유를 들었다. 왜 반대하는지는 알 수 없었다.

어떤 주민들이 반대했을까? 반대를 했다면 아마 그들은 타지에서 새로 이사 온 사람들이었을 것이다. 만약 이곳에서 오래 살아온 사람들이라면 오랫동안 불러 왔던 '벌말'이란 토박이 땅이름이 역이름에 들어가는 것을 반대했을까?

아현동의 한 역이름이 '애오개'로 정해지려 하자, 지역 주민 일부가 '남아현역'으로 해 줄 것을 건의했다. 필자는 이를 반대했다. 엄연히 '애오개'란 이름이 있는데, 이를 방위성 이름으로 바꾸는 것은 옳지 않다고 했다. 결국 '남아현'이라는 이름은 채택되지 않았

● 1976년 지도를 바탕으로 해서 평촌(벌말) 일대의 토박이 땅이름 지명을 필자가 삽입했다.

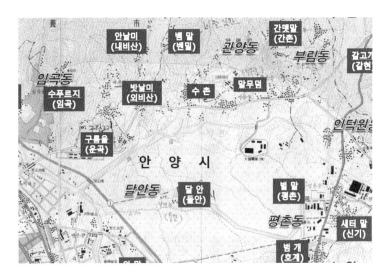

다. 지하철 역이름은 잘만 정하면 우리의 옛 땅이름을 잘 살려 낼 수 있는 좋은 표본이다. 아파트단지 이름도 마찬가지고, 그 지역에 들어서는 공원 이름, 길 이름도 마찬가지다.

이제 여러 가지 방법으로 우리의 옛 땅이름을 하나하나 찾아 나가야 한다. 우리 조상들의 얼을 잘 지켜 내야 한다. 이런 작업은 우리가 흔히 말하는 그 애국의 차원을 넘는다. 필자가 개설한 연세대학교 사회교육원의 땅이름 연구 과정도 그런 뜻에서 큰 의미가 크다.

서동탄역, 지역 인지도의 중요성

2009년 10월, 전철 역사 명칭을 놓고 경기도 화성시와 오산시 사이에 갈등을 빚어 왔던 병점차량기지의 역명이 '서동탄역'으로 결정됐다. 한국철도공사는 역명심의위원회 위원들이 참석한 가운데, 역사 명칭에 대한 양 지자체의 입장을 듣고 화성시가 제안한 '서동탄역'으로 최종 결정했다.

오산시는 그동안 병점차량기지 역사가 오산시 외삼미동에 70퍼센트가 속해 있는 만큼 '삼미역'으로 명명해 줄 것을 끊임없이 요구했다. 반면 화성시는 역사 건립에 필요한 건립비 340억 원은 동탄신도시 입주민이 낸 세금임을 설명하고, 지난 2005년부터 기지 역사에 전철역을 만들려고 그동안 해왔던 노력을 일일이 열거

했다. 특히 화성시에서는 서동탄역을 건립하기 위해 시민과 공무원들이 겪어야 했던 힘든 과정을 위원들에게 호소했다. "역사 명칭은 투쟁과 쟁취로 얻을 수 있는 것이 아니라 정성과 땀으로 얻을 수 있는 것이어야 한다."

한편 브리핑 과정에서 새로운 사실도 밝혀졌다. 화성시는 2007년 역사 건립과 관련해 오산시에 의견을 물었지만, 당시 오산시는 병점차량기지역은 오산 시민의 접근성이 나쁘고 이용률이 저조하다며 사업비 분담이 곤란하다고 했던 것이다. 화성시 관계자는 고충을 토로했다. "양 시가 공동으로 합의해 모든 시민이 희망하는 역사를 건립하려 했지만 거부당하고, 2004년부터 역사 명칭 문제만 거론해 와 골치를 앓았다."

위원장인 필자는 역명은 지역성을 띠는 것이 무엇보다 중요하다고 강조하고 '삼미역'으로 결정하려 했다. 그러나 그 뜻을 이루지 못했다. 역이름에서는 지역명의 인지도가 중요하다는 것을 다시 한 번 크게 느꼈다. '삼미'라는 이름은 '동탄'이란 이름에 비해 인지도가 매우 낮았던 것이다. 지금 이곳은 하늘 높은 줄 모르는 고층 아파트 단지들이 우후죽순 들어서 있다.

우리말글문화
총서 02

또 하나의 생활문화 지도
땅이름

초판 1쇄 2023년 2월 28일
초판 2쇄 2023년 11월 28일

지은이 배우리
펴낸이 정은영
편집 정혜인, 박지혜, 양승순
디자인 마인드윙+[★]규

펴낸곳 마리북스
출판등록 제2019-000292호
주소 (04037) 서울시 마포구 양화로 59 화승리버스텔 503호
전화 02)336-0729, 0730 **팩스** 070)7610-2870
홈페이지 www.maribooks.com
Email mari@maribooks.com
인쇄 (주)신우인쇄

ISBN 979-11-89943-96-7 04700
        979-11-89943-94-3 04080 (set)